Adam et Thomas

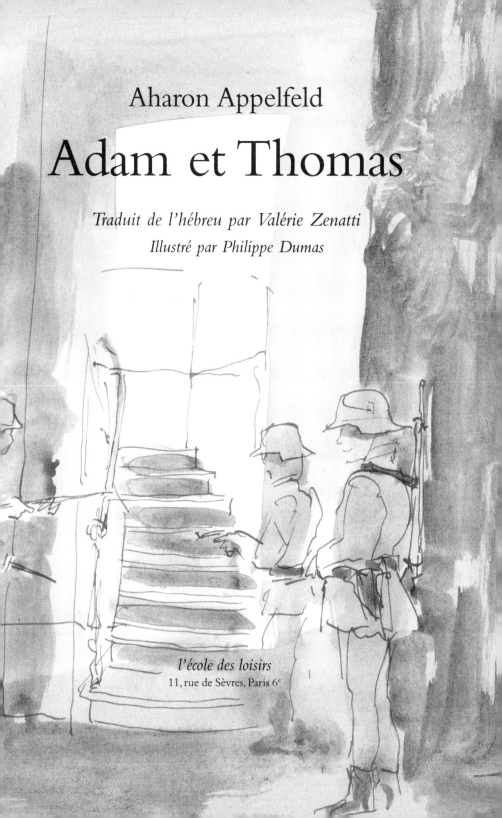

Aharon Appelfeld

Adam et Thomas

Traduit de l'hébreu par Valérie Zenatti
Illustré par Philippe Dumas

l'école des loisirs
11, rue de Sèvres, Paris 6e

Chapitre 1

Ils marchaient main dans la main, rapidement. Ils arrivèrent à la lisière de la forêt avec le lever du jour.

– Mon petit Adam, dit la mère, nous sommes arrivés, n'aie crainte. Tu connais parfaitement notre forêt et tout ce qu'elle contient. Je vais faire mon possible pour revenir ce soir. Si je tarde, va chez Diana, je te retrouverai chez elle.

Adam se tenait près de sa mère, encore ensommeillé, et ne savait que dire. Sa mère répéta :

– N'aie crainte, tu connais notre forêt et tout ce qu'elle contient. Assieds-toi sous un arbre, par exemple celui qui possède une cime arrondie, lis Jules Verne ou joue aux osselets, le temps passera vite.

Elle le serra dans ses bras et ajouta :

– Il faut que je me dépêche, je vais cacher les grands-parents.

Elle se détacha de lui et se mit en route. Adam resta figé sur place. Il eut envie de courir pour crier au revoir à sa mère, mais elle s'était déjà dérobée à son regard.

La forêt se réveillait et les premières lueurs s'étendaient sur la terre.

Adam avançait lentement. Il connaissait les arbres et les chemins, mais la forêt était tout de même différente : c'était la forêt de l'aube. Il avait l'habitude d'y venir avec ses parents, dans l'après-midi la plupart du temps, parfois en fin de journée, mais jamais dès l'aube.

« C'est étrange, se dit-il. Je me promène seul dans la forêt. »

Ce faisant, il arriva à l'arbre dont la cime était arrondie, posa son sac à dos par terre, regarda autour de lui et se dit : « Rien n'a changé ici. C'est la même forêt. La seule différence, c'est que mes parents ne sont pas avec moi. »

Adam avait neuf ans et était sur le point de terminer son CM1. Ce n'était pas un excellent élève mais, à l'avant-dernier trimestre, il avait eu trois « très bien » dans son carnet. Ses parents en avaient été enchantés et lui avaient acheté un nouveau ballon.

La guerre et le ghetto avaient mis fin aux promenades dans la nature. L'espace d'un instant, il se sentit heureux que sa mère l'ait sorti du ghetto pour l'amener ici, lui faisant confiance pour se débrouiller.

Près de l'arbre il y avait un ruisseau couvert encore d'une fine brume, mais des taches de lumière commençaient à scintiller sur l'eau.

Il eut faim. Il sortit de son sac un sandwich enveloppé d'un papier marron qui fit surgir le souvenir de sa mère debout dans la cuisine, près de la fenêtre, tranchant une miche de pain pour lui préparer des sandwichs.

Aux dernières heures de la nuit, ils avaient quitté la maison, étaient passés de cave en cave, avaient couru dans des tunnels sombres, rampé dans des boyaux étroits pour, après un grand effort, sortir de l'obscurité dans un champ. Ils avaient traversé le pont Johan et en quelques minutes avaient gagné l'orée des bois.

Il entendit de nouveau sa mère prononcer les mots : «Tu connais la forêt et tout ce qu'elle contient.»

À présent, il était assis et contemplait les rayons de lumière qui s'allongeaient sur ses jambes.

Il se redressa soudain, s'agenouilla et mit sa main en coque pour boire au ruisseau. L'eau fraîche lui faisait du bien, il continua de boire jusqu'à plus soif.

«C'est intéressant, pensa-t-il, Maman n'est plus là mais je la vois clairement et je sens sa main dans la mienne.»

Il s'était promené dans cette forêt immense avec son père et sa mère, au printemps et en été. Ils y retrouvaient leurs arbres favoris auprès desquels ils aimaient s'asseoir, des ruisseaux où ils aimaient s'abreuver. Miro courait et sautait, ajoutant de la gaieté à la joie de la promenade.

Le son s'échappa tout seul de la gorge d'Adam : «Miro», s'écria-t-il, en sentant le corps cylindrique de l'animal dans ses bras. Tout le monde aimait Miro. Il n'était pas aussi grand qu'un chien-loup, mais il remplissait la maison de sa présence, et, même lorsqu'il sommeillait près de l'entrée, il restait attentif à ce qui se passait autour de lui.

Adam eut alors la vision de sa maison, de l'atelier, de ses parents et ses grands-parents, et de Miro sautant partout, ou immobile, pensif. Plus il s'abandonnait à ces images familières, plus ses angoisses diminuaient. Ses yeux se fermèrent, il s'endormit.

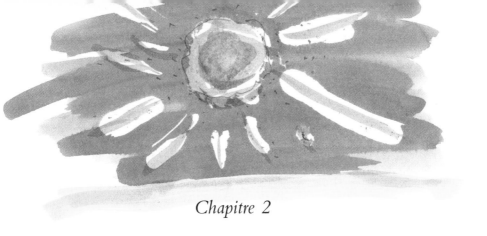

Chapitre 2

À son réveil, le soleil était déjà au zénith. Dans son sommeil il avait été à la maison, dans la cuisine, et il se demanda un instant comment il était arrivé dans la forêt, mais il se souvint aussitôt que sa mère l'y avait conduit et avait dit : «Nous voilà arrivés. N'aie pas peur. Tu connais parfaitement la forêt et tout ce qu'elle contient.» Les phrases résonnèrent un instant dans sa tête, et il s'en réjouit.

Adam connaissait bien la forêt aux heures de l'après-midi. Les parents avaient l'habitude de passer du temps entre les arbres après leur journée de travail. Son père portait un sac à dos plein de sandwichs, de gâteaux, de fruits et de crudités. Sa mère mettait dans son long sac à main deux Thermos, l'une remplie de café et l'autre de chocolat.

Adam attendait impatiemment ces promenades. Dans la forêt, les parents étaient calmes, ils discutaient et s'écoutaient l'un l'autre. Pour finir, ils jouaient tous les trois au ballon.

Au bout d'une heure de jeu, la chemise d'Adam était mouillée et sa mère constatait : « Tu es complètement trempé, dommage que je ne t'aie pas apporté de vêtements de rechange. »

Un instant, Adam fut triste d'être seul. Il retourna vers le ruisseau pour boire, sortit une pomme de son sac et la mordit. Le goût du fruit fit revenir devant ses yeux son père et sa mère, et il eut l'impression qu'ils n'étaient pas loin de là.

Et tandis qu'il se demandait ce qu'il allait faire et dans quelle direction il allait marcher, des bruits l'alertèrent. Il tendit l'oreille : c'étaient des pas sur les feuilles mortes.

De là où il était assis, il ne pouvait rien voir. Il se redressa et, à sa grande surprise, il découvrit un garçon qui avançait lourdement dans sa direction, portant un sac à dos.

— Eh, toi ! Qui es-tu et que fais-tu ici ? demanda Adam d'une voix forte.

— Je m'appelle Thomas.

— Rejoins-moi !

— J'arrive.

Quand il se rapprocha, Adam s'aperçut qu'il s'agissait d'un camarade de classe.

– Qui t'a emmené ici ? demanda-t-il d'une voix amicale.

– Maman m'a conduit ici ce matin et m'a demandé de l'attendre. Depuis, je marche, et je commence à être fatigué.

– Ma maman aussi m'a dit de l'attendre. Attendons-les donc ensemble, proposa Adam en souriant.

– C'est étrange, dit Thomas.

– Quoi ?

– D'être ici tout seuls.

Thomas posa son sac à dos, soupira comme un adulte et s'assit par terre.

– Tu as mangé ? lui demanda Adam.

– Pas encore. J'ai faim.

– Moi, j'ai déjà mangé et bu au ruisseau.

Thomas mordit dans un sandwich sorti de son sac.

En classe, Thomas était assis au premier rang à cause de sa myopie. Mais là, avec sa casquette verte qui modifiait son apparence, il ne semblait pas myope.

– Tu es ici depuis longtemps ? demanda-t-il.

– Je suis venu ici avec ma mère tôt ce matin. La forêt était encore sombre.

– Et tu n'as pas eu peur ?

– Non, je connais la forêt et tout ce qu'elle contient.

– Quelle chance que tu m'aies vu ! Je commençais à désespérer.

– À vrai dire, je ne t'ai pas reconnu.

– Moi non plus, je ne t'ai pas reconnu, mais je ne suis pas un exemple, je suis myope, à mon grand regret.

Adam remarqua qu'il avait dit « à mon grand regret ». Thomas était un garçon bien élevé qui disait souvent pardon, merci. À cause de ces manières polies, il ne faisait pas partie des enfants les plus populaires de la classe.

– Je suis heureux que nous soyons ensemble, je me sentais mal, tout seul. Au fait, quand ta mère a-t-elle promis de venir te chercher ? demanda Thomas.

– Dans la soirée.

— Ma mère aussi, et on rentrera tous les deux à la maison, dit Thomas, heureux d'avoir prononcé ces mots. Elle m'a donné trop de choses, mon sac est lourd comme un ballot de farine.

— Ma mère aussi m'a équipé comme si je partais pour un long voyage. Qu'est-ce que je n'ai pas là ! Des bandages, de la teinture d'iode, de l'aspirine, deux boîtes d'allumettes et que sais-je encore, dit Adam.

— Moi, je ne sais même pas ce que j'ai dans mon sac.

Chapitre 3

Adam se souvint que sa mère lui avait dit : « Si je n'arrive pas d'ici le soir, va chez Diana. » Étrangement, il avait oublié cette consigne, peut-être à cause de la rencontre avec Thomas.

Diana aidait sa mère dans les travaux de la maison. C'était une femme aigrie, mutique, semblant toujours sur le point d'éclater et de se mettre à crier.

– À quoi penses-tu, Adam ? demanda Thomas.

Adam le lui dit.

– Moi aussi, ma mère m'a dit d'aller chez Diana !

– Diana va ouvrir un pensionnat pour enfants abandonnés, dit Adam, et ils éclatèrent de rire.

– Je ne l'aime pas.

– Moi non plus, mais on n'a pas le choix. Dans le ghetto, on rafle les enfants.

– Attendons nos mamans jusqu'au soir et puis nous verrons bien.

Depuis le cours préparatoire, Thomas intriguait Adam. Au début à cause de sa myopie, et ensuite grâce à ses autres qualités.

Minutieux, excellent élève, Thomas n'était pas aimé de ses camarades. Ils l'embêtaient, et lui se défendait avec ses armes : les exercices de calcul, les rédactions qu'il faisait, les livres qu'il lisait. Mais ces efforts augmentaient précisément l'hostilité à son égard, et c'est en vain que les maîtres essayaient de le protéger.

Au bout d'un moment, les enfants s'étaient lassés de l'embêter, ils l'ignoraient tout simplement. Comme s'il n'existait pas. Thomas en souffrait, cela se voyait dans chacun de ses gestes, même dans sa démarche. Adam participait-il à ces agressions groupées ? Pas directement, mais il ne s'était jamais mis non plus du côté de Thomas.

Un jour, Adam l'avait croisé dans la rue et lui avait demandé comment il allait. Thomas avait été étonné d'être abordé par un garçon de sa classe, et il en avait été si troublé qu'il avait répondu :

– Qu'est-ce que tu me veux ?

Et Adam lui avait dit alors :

– Si tu cesses d'être un excellent élève, personne ne t'embêtera plus.

Cette phrase avait désarçonné Thomas, qui avait demandé :

– Que dois-je faire ?

– C'est très simple. Cesse d'être excellent. Ton excellence provoque un malaise chez les autres enfants.

– D'accord, avait dit Thomas en se dépêchant de partir.

Adam avait aussitôt regretté ses paroles. Il lui semblait avoir blessé Thomas, mais il n'alla pas le voir pour lui demander pardon.

Ils ne s'étaient plus parlé depuis.

Une pensée le traversa : c'était étrange que Dieu ait précisément mis Thomas sur son chemin. Le professeur de religion, frère Peter, répétait qu'il n'y a pas de hasard en ce monde. Tout est dirigé par une main invisible. Quand on rencontre quelqu'un, c'est signe qu'on devait croiser son chemin, c'est signe que l'on va recevoir de lui quelque chose qui nous manquait. Il ne faut pas ignorer ces rencontres. Dans chacune d'elles est contenue la promesse d'une découverte.

Adam entendait maintenant non seulement les paroles de son professeur de religion, mais il voyait également sa silhouette : vêtu d'une robe de bure et différent des autres êtres.

Pendant ce temps, Thomas s'était endormi.

Chapitre 4

Le soleil descendait dans le ciel, et des lueurs rouges s'allumèrent à la cime des arbres. Adam se souvenait clairement de cette heure, lorsqu'il s'asseyait ici avec ses parents.

Son père était un artisan menuisier qui aimait leur raconter en détail son service militaire, les secrets de son art, ou quelque chose de drôle sur l'un de ses clients. L'atelier jouxtait la maison, et Adam y passait des heures. Il aimait les poutres et les planches, la machine à clouter et les outils dont se servait son père pour raboter le bois, il aimait les copeaux et l'odeur qui s'en dégageait.

Quand son père finissait de monter une table, il se redressait pour la contempler et disait : «J'y ai mis beaucoup de moi-même. Je doute que celui qui l'achètera sache l'apprécier.»

La mère l'aidait à poncer le bois, puis à l'enduire de laque. Avant les fêtes, ils travaillaient jusque tard dans la nuit. Adam saisissait maintenant ce qu'il n'avait peut-être pas saisi alors : la proximité entre ses parents. Ils aimaient s'écouter l'un l'autre et ne se disputaient jamais.

Thomas se réveilla en sursaut, regarda autour de lui et demanda :

– Où suis-je ?

– Tu es dans la forêt avec moi, dit Adam en s'agenouillant près de lui.

– Pardon, dans mon sommeil, je me suis retrouvé à la maison.

– Maintenant tu es ici, ne t'inquiète pas.

Thomas jeta un coup d'œil à sa montre.

– Il est huit heures. Où sont nos mamans ?

– Attendons-les, on verra bien. Les jours sont longs en été, la nuit tombe seulement vers dix ou onze heures, répondit Adam, en essayant de dissiper l'inquiétude de Thomas. Je propose qu'on dîne. Quand nos mamans arriveront, elles seront contentes de nous voir manger.

– Excellente idée.

Dans le sac de Thomas il y avait une Thermos de chocolat. Sur le bouchon, qui servait également de tasse, sa mère avait écrit : « Refermer soigneusement. »

Ils mangèrent chacun un sandwich et Thomas proposa à Adam une tasse de chocolat.

– Il est excellent, dit Adam après en avoir bu. Merci.

– De rien.

– C'est étrange, tout juste au printemps j'étais assis avec mes parents au pied de cet arbre. Papa a été emmené dans une brigade de travail, Maman essaie de mettre les grands-parents à l'abri et moi je suis ici. On est tous dans un endroit différent.

– Mon père aussi a été envoyé dans une brigade de travail. Depuis, Maman ne dort plus la nuit, confia Thomas.

L'obscurité commençait à s'étendre sur les racines des arbres, mais dans les profondeurs de la forêt des taches de lumière continuaient de danser. Thomas avait l'air inquiet. Il ne s'en cacha pas et demanda à Adam :

– Tu es sûr que nos mères vont revenir nous chercher ?

– Ma mère tient toujours ses promesses, et je suppose que la tienne aussi. Mais il faut tenir compte des dangers. Le ghetto est fermé à double tour. Les miradors éclairent les alentours avec de gros projecteurs. Devant presque chaque bouche d'égout qui permet de sortir, il y a un garde.

– Depuis la guerre, tout a changé, dit Thomas d'une voix d'adulte.

– Nos parents n'ont pas changé. Ils étaient et resteront nos parents, dit Adam, surpris par la phrase qui était sortie de sa bouche.

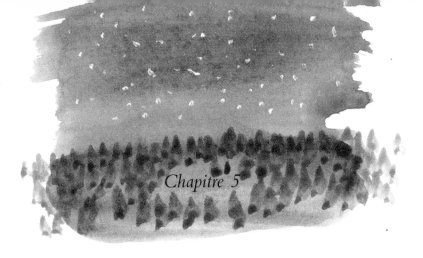

Chapitre 5

Ensuite, l'obscurité recouvrit la forêt.

Une lueur s'alluma dans les yeux d'Adam.

– On va se construire un nid dans un arbre.

Thomas éclata de rire.

– Tu plaisantes.

– Pas du tout. Notre arbre est robuste. Il est fait de nombreuses branches qui se croisent en formant une cime serrée et solide. On va la recouvrir de petites branches et de feuilles sur lesquelles on posera une couverture.

– Et si nos mamans viennent et ne nous trouvent pas ?

– De là-haut, on voit bien mieux. On les apercevra de loin.

Adam grimpa à l'arbre et Thomas commença à lui tendre des petites branches et des feuilles dont Adam tapissa la cime avant de déclarer :

– Bientôt, nous aurons un nid remarquable.

Thomas lui tendit les sacs, Adam l'aida à grimper.

– Adam, c'est merveilleux.

– Parfois, on ne perd rien à apprendre quelque chose des oiseaux, répondit Adam, à la manière d'un artisan parlant de son travail.

– Tu as raison, on voit bien mieux d'ici. J'ai une couverture dans mon sac, je suppose que toi aussi. On va en étaler une et puis on se couvrira avec l'autre, proposa Thomas, pour participer à l'initiative d'Adam.

– Excellente idée.

Ils s'allongèrent pour tester la solidité du nid, qui ne ploya pas sous leur poids.

– Tu as déjà dormi au sommet d'un arbre ? demanda Thomas.

– Pas encore. Mais j'ai construit une tente avec mes parents et on y a passé la nuit.

– Quand nos mamans viendront nous chercher, elles vont s'émerveiller de ton invention.

– Il fait déjà nuit, elles viendront sûrement demain matin. Je suis fatigué, murmura Adam.

*
* *

Alors qu'ils sommeillaient encore, un homme apparut, qui traversait la forêt en courant.

— Heureusement qu'on est en haut, dit Thomas, on ne sait jamais ce qu'un homme qui court est capable de te faire.

— Quand quelqu'un court, il reste concentré, il ne fait pas attention à toi, répondit Adam en surprenant Thomas par sa finesse.

Le silence s'étendit, troublé ici et là par le cri d'un oiseau de proie. Adam se rendormit. Thomas n'y arrivait pas. Il voyait devant ses yeux son père, sa mère et les gens qui venaient leur rendre visite à la maison.

Son père était un homme grand, myope comme son fils, qui enseignait au lycée. Sa mère était maîtresse d'école. Quand le ghetto avait été organisé, avant les rafles pour les brigades de travail, son père avait continué à donner des cours chez lui aux élèves renvoyés du lycée.

« L'étude nous protège, répondait-il à tous ceux qui semblaient douter de ses efforts. C'est précisément en ce moment qu'il faut prendre soin de nos âmes », répétait-il.

La mère de Thomas veillait à ce que son fils continue d'étudier. Et Thomas restait en effet plongé dans ses exercices de calcul, lisait des livres, écrivait des rédactions, apprenait par cœur des poèmes, et le soir, lorsque sa mère vérifiait ses connaissances, elle lui disait : « C'est très bien, tu as bien avancé. »

Pendant toutes les longues journées au ghetto, Thomas était resté plongé dans les études.

Il entendait ce qui se passait autour de lui, mais les exercices de mathématiques et la lecture des livres remplissaient son âme. C'est seulement lorsque sa mère lui annonça qu'elle le conduirait le lendemain en forêt qu'il sembla se réveiller et comprit qu'il lui fallait se préparer à une nouvelle vie. Quelle serait sa nature ? Il n'avait pas réussi à l'envisager.

Adam n'avait pas étudié au ghetto, il aidait sa mère qui travaillait à la cuisine publique. Il épluchait des pommes de terre et des betteraves, coupait du chou et lavait des marmites. À midi, une file d'attente sans fin s'étendait devant la cuisine, et Adam aidait à distribuer le pain et la soupe.

Chapitre 6

La lumière du matin les réveilla.

— Nos mères ne sont pas venues nous chercher, dit Thomas, encore ensommeillé.

— Elles vont venir. Mais il faut qu'on améliore le nid. Tu as bien dormi ?

— D'habitude, je dors profondément, mais cette nuit j'ai eu une insomnie. Trop d'images s'agitaient devant moi.

— Je ne suis pas inquiet. Ma mère est têtue. Elle tient ses promesses, dit Adam.

— Ma mère aussi, mais alors, pourquoi ne vient-elle pas me chercher ?

— Je propose qu'on ne s'inquiète pas. Ça ne servira à rien, répondit Adam d'un ton pragmatique.

— J'ai fait un drôle de rêve. C'était l'été, on se baignait dans le fleuve. Le soleil était agréable et soudain, sans crier gare, des nuages noirs se sont accumulés dans le ciel et une pluie violente s'est abattue. Les parasols, emportés par le vent, sont tombés dans le fleuve. Papa a proposé de monter vers la forêt pour trouver un abri. Tout le monde s'est moqué de lui : « C'est une pluie d'été, ils disaient. Un orage qui va passer. Le soleil va bientôt revenir, ça ne sert à rien de se presser comme ça. » Mon père s'est vexé et s'est fermé. C'est un rêve étrange. Il paraît que les rêves viennent nous enseigner quelque chose, dit Thomas, bouleversé.

– Moi, je ne rêve pas souvent, lui répondit Adam d'un ton léger.

– Moi, très souvent. Mais, la plupart du temps, je ne comprends pas mes rêves. Parfois j'ai l'impression d'être dans la réalité, et à d'autres moments la confusion règne.

Adam leva les yeux pour dévisager Thomas.

– À quoi penses-tu ? lui demanda ce dernier.

– À notre nid. On peut l'améliorer : on va ajouter des petites branches et des feuilles. Un nid doit être soigneusement capitonné, sinon il s'effondre.

Une pensée traversa Thomas : « C'est étrange, Adam n'est pas inquiet. Il sait peut-être quelque chose que j'ignore. Il est agile, c'est un enfant de la nature. Moi, je suis une créature de la ville. »

Ils descendirent de l'arbre, se rincèrent le visage, burent de l'eau et regardèrent autour d'eux. Un silence complet enveloppait la forêt couverte de fines lumières scintillantes.

— Viens, on va se faire un petit festin près du ruisseau. J'ai des sandwichs, des fruits et des crudités, proposa Adam.

— Excellente idée. J'ai faim.

Adam grimpa à l'arbre avant d'aider Thomas à faire de même. Ils prirent leur pique-nique qu'ils descendirent près du ruisseau.

Thomas se détendait peu à peu. Adam le regardait d'un air amical.

— Tu sais, la forêt est le lieu le plus sûr en ce moment. Au ghetto, on rafle les enfants et les grands-parents. Ici, personne ne nous raflera. On va améliorer notre manière de courir, de grimper aux arbres, on sera aussi agiles que des écureuils.

— Moi, peut-être à cause de ma myopie et d'autres choses, je ne suis pas très agile. Quand je cours, je suis tout raide, dit Thomas timidement.

— Il ne faut jamais se décourager, Thomas. Si tu t'entraînes sérieusement, tu obtiendras des résultats dans ce domaine aussi.

— Tu penses qu'on va rester longtemps ici ?

— Jusqu'à ce que ça se calme au ghetto. Peut-être que la guerre alors sera finie.

— J'ai peur. Pourquoi j'ai toujours peur ?

— Il n'y a pas de quoi avoir peur. Dans la forêt il y a tout ce qu'il faut. On va apprendre à découvrir les bonnes choses qui s'y trouvent. Hier, nous avons fait le premier pas, le plus important, nous nous sommes construit un nid.

— Tu appelles ça un premier pas ?

— Oui, quand tu as une base, tu peux avancer.

— Adam, ta façon de penser m'étonne beaucoup, conclut Thomas.

Chapitre 7

Ils partirent chercher des fruits des bois.

– C'est agréable de manger des fruits qu'on cueille soi-même, dit Adam, qui en avait eu l'idée.

Ils n'eurent pas besoin de beaucoup s'éloigner. Tout près d'eux se trouvait un plant couvert de fraises des bois. Ils se régalèrent sur place avant de remplir un bocal et de s'asseoir sous l'arbre.

– Quelle chance ! s'exclama Thomas.

– Ma mère dit toujours que Dieu s'occupe de nourrir chaque créature, répondit Adam.

– Vous êtes une famille croyante ?

– Nous allons à la synagogue les jours de fête.

– Un homme croyant est différent d'un homme ordinaire ?

– Je ne crois pas, répondit Adam. Mon grand-père dit que tous les êtres ont été créés à l'image de Dieu.

– Toi, tu le vois, Dieu ?

– Non, c'est interdit. Il faut faire ce qui est bon à ses yeux.

– Et c'est quoi ?

– Aimer ses parents. Aimer ses grands-parents et tous ceux qui ont besoin d'aide.

– Tu me surprends, Adam.

– Comment ça ?

– Je n'imaginais pas que tu allais à la synagogue. J'étais sûr que c'était seulement pour les vieux.

Ils retournèrent manger des fraises, et Thomas se souvint avec douleur que sa mère avait promis de venir le chercher. Adam perçut la tristesse de son camarade.

– Les mamans font tout ce qu'elles peuvent. Il faut croire qu'elles sont occupées à trouver un abri aux grands-parents.

– Tu as raison, il faut que je surmonte mon égoïsme.

– Pardonne-moi mon ignorance. C'est quoi, l'égoïsme ?

– C'est l'amour de soi-même. Un amour trop grand.

– Thomas, tu sais beaucoup de choses. Tu seras non seulement le meilleur élève de la classe, mais de toute l'école.

– Mon père est très savant, pas moi, répondit Thomas en essayant d'esquiver le compliment.

– Viens, on va faire quelque chose d'utile. Ramassons des branches pour améliorer le nid.

Et c'est ce qu'ils firent. Adam grimpa ensuite dans l'arbre et Thomas lui tendit les fagots qu'ils avaient amassés. Adam étala les petites branches et les feuilles avant de remettre la couverture par-dessus.

– Thomas, tu ne vas pas reconnaître notre nid. Cette nuit, on va dormir comme des princes ! lui cria Adam d'en haut.

Thomas grimpa prudemment et découvrit en effet un nid plus large, plus solide et moelleux à la fois. Ils s'allongèrent tous deux, jambes écartées, heureux de sentir l'épaisseur du matelas de branches.

– Nous sommes ici à peine depuis un jour et demi et j'ai l'impression que ça fait beaucoup plus longtemps. Toi aussi, tu as ce sentiment ? demanda Thomas.

– Je ne pense pas à mes sentiments.

– Tu es chanceux.

– Pourquoi ?

– Les sentiments pèsent parfois.

Tandis qu'ils discutaient, un chien blanc apparut au loin, galopant aisément sur ses longues pattes.

– Oh, le beau chien ! s'écria Adam, mais l'animal ne s'arrêta pas et disparut de leur vue.

Quand il était petit, Thomas voulait un chien mais sa mère refusait fermement. Ce refus avait assombri son enfance et, chaque fois qu'il croisait un chiot dans la rue, son cœur se serrait. Un jour il avait trouvé un petit chien dans la cour. Il avait joué avec lui et l'avait ramené à la maison. Sa mère s'était mise à crier. Thomas avait reposé le chiot par terre, mais sa mère avait continué à crier et l'animal s'était enfui.

Le soir, juste avant le coucher et après lui avoir lu *Les Contes du Nord*, sa mère l'avait longuement regardé en lui demandant pardon.

– Pourquoi, Maman ?

– Parce que je t'interdis d'avoir un chien. C'est de ma faute. Quand j'avais ton âge à peu près, il y avait un chiot très mignon dans mon quartier et tout le monde jouait avec lui. Un jour, la rumeur s'est répandue qu'il avait la rage, et on nous a tous emmenés à l'hôpital pour nous vacciner. Je me suis juré alors de ne plus jamais toucher un chien. Quand je t'ai vu avec le petit chiot dans les bras, j'ai eu très peur. Je n'aurais pas dû crier d'une voix si effrayante. Pardonne-moi, Thomas, je ne sais même pas si tu peux me pardonner maintenant. J'espère qu'un jour ce sera possible, avait dit sa mère en éclatant en sanglots.

– Mais Maman, je te pardonne déjà.

– Merci mon petit. Ça m'a pesé toute la journée.

Thomas voyait à présent avec une grande netteté sa mère, assise près de lui. Il lui semblait qu'elle s'en voulait encore d'avoir crié, et Thomas eut envie de lui dire encore : « Je te pardonne de tout mon cœur. »

« Thomas, ne pardonne pas si facilement, je ne le mérite pas », dit-elle avant de disparaître.

Il attendit un long moment de la revoir, mais son visage ne réapparut pas.

Chapitre 8

— À quoi tu penses, Thomas ? demanda Adam
prudemment.

— À ma mère.

— Elle t'a parlé ?

— Oui, mais c'est une histoire compliquée. J'ai du
mal à en parler maintenant. Je te raconterai une autre
fois.

— Nous avons le temps, dit Adam d'une voix
mesurée.

— On va rester ici encore longtemps ? !

— Je ne sais pas. Mon grand-père dit que tout est
entre les mains du ciel.

— Je n'ai jamais entendu cette expression. Mon
père dit que tout est entre les mains de l'homme.

— Chaque famille possède ses expressions, conclut
Adam.

— Est-ce qu'il ne serait pas temps d'échanger nos sandwichs ? demanda vivement Thomas.

— Bien vu.

— Il est deux heures, tout le monde rentre de l'école, et nous seuls sommes dans la nature. Tu comprends ce qu'il nous arrive ?

— C'est très simple. Nous sommes dans une cachette.

— Tu appelles *ça* une *cachette* ? s'exclama Thomas en soulignant le mot.

— Je n'ai pas de meilleure appellation. Notre cachette est peut-être grande et on peut s'y promener, grimper aux arbres et boire l'eau du ruisseau, mais c'est tout de même une cachette.

— Moi, j'ai l'impression que, depuis le ghetto, plus rien n'est logique. Les vieux sont déportés. Pourquoi on déporte les vieux ? Pourquoi on déporte les enfants ? Quel mal ont-ils fait ? demanda Thomas, bouleversé.

— Ils sont juifs, répondit Adam calmement.

— On les déporte parce qu'ils sont juifs ?

— Thomas, il faut que tu saches que les Juifs ne sont pas aimés.

— Je ne le comprends pas. Apparemment, j'ai besoin d'avoir plus d'expérience et d'en apprendre plus, dit Thomas, le souffle coupé.

Il mordit dans le sandwich d'Adam et ajouta :

— Ton sandwich est particulièrement bon, surtout avec les olives noires.

Ils descendirent ensuite pour boire au ruisseau, cueillir des fraises et ils se souvinrent du chien blanc qui avait rapidement traversé la forêt avant de disparaître.

— Est-ce qu'il reviendra ? demanda Thomas, songeur.

— On peut le supposer, lui répondit Adam en utilisant une des expressions favorites de Thomas.

Puis, sans signe avant-coureur, Thomas ferma les yeux, se recroquevilla et s'endormit.

Adam resta debout et contempla son camarade, étonné par la facilité avec laquelle il passait de l'éveil au sommeil. Adam ne demeura pas inactif. Il partit voir ce qui poussait encore dans la forêt et ne fut pas déçu. Tout près d'eux se trouvait un cerisier couvert de fruits noirs.

Il pensa réveiller Thomas pour le lui montrer, mais quand il revint vers lui et le vit si profondément plongé dans son sommeil, il renonça. Il retourna vers l'arbre, cueillit autant de fruits qu'il le pouvait, retourna vers Thomas en s'étonnant encore de son sommeil profond.

Chapitre 9

Thomas se réveilla en sursaut. Adam se précipita vers lui.

– Que se passe-t-il ?

– Je suis en retard pour l'école.

– Tu as rêvé. Nous n'allons plus à l'école. Nous vivons dans la forêt.

Adam lui montra les cerises. Thomas en fut émerveillé. Ils s'assirent ensemble pour dévorer les fruits noirs au goût sucré.

– Où as-tu trouvé un cerisier ?

– Tout près d'ici.

– Adam, tu as un sens de l'orientation hors du commun.

– J'aime découvrir des choses.

– Moi, je ne trouve jamais rien de neuf, parce que je suis myope.

«Tu sais dormir et rêver», voulut lui répondre Adam, mais il n'osa pas, de peur de le blesser.

Adam remarqua que Thomas avait cessé de demander pourquoi sa mère tardait à venir, mais, quand le soir arriva, Thomas dit d'une voix douce :

— Maintenant, les enfants de notre classe sont chez eux et préparent leurs devoirs. Nous seuls sommes abandonnés dans la forêt.

Adam sentit que le mot « abandonnés » qui était sorti de la bouche de Thomas était rempli de peine et de nostalgie, et il demanda :

— Pourquoi dis-tu « abandonnés » ?

— Qu'est-ce qu'on pourrait dire d'autre ? Tu as un meilleur mot ?

— On nous a envoyés dans la nature pour qu'on puisse apprendre directement d'elle, et grandir.

— Nos mères nous ont amenés dans la forêt pour qu'on grandisse ? demanda Thomas sur un tel ton qu'Adam en fut gêné.

— Je viens tout juste d'y penser, répondit Adam en riant.

— L'adolescence, pour autant que je sache, ne commence pas à neuf ans, dit Thomas.

Et ils remontèrent dans le nid.

— Notre nid est bien capitonné, dit Adam.

— Oui, il donne envie de dormir.

L'air de la forêt et la fatigue les enveloppèrent tous deux, et ils s'endormirent.

Thomas rêva que sa mère, assise sur le rebord de son lit, lui lisait un passage de *Demian*, de Hermann Hesse. À l'heure du coucher, la voix de sa mère se faisait douce et calme, et l'histoire retenait son attention. Thomas eut soudain envie de lui demander : « Pourquoi m'as-tu envoyé dans la forêt, est-ce que c'est pour que je mûrisse ? » La question mit sa mère mal à l'aise. « Je n'avais pas le choix, j'avais peur qu'on te rafle. – Où déporte-t-on les vieux et les enfants ? – Pourquoi poses-tu cette question ? – Il y a plein de rumeurs. Quand la guerre se terminera-t-elle ? – Je ne sais pas, mais dès qu'elle sera finie, je viendrai te chercher. Tu dois t'armer de patience. »

Thomas se réveilla très tôt, avant le soleil ; Adam dormait encore. Son rêve lui semblait de plus en plus net, et maintenant il voyait sa mère devant lui.

Adam ouvrit les yeux.

– Pourquoi tu ne dors pas ?

– J'ai fait un rêve qui a dû me réveiller.

– Un bon rêve ?

– Maman promettait de venir me chercher à la fin de la guerre.

– Ce sera quand ?

– Elle ne m'a pas donné de détails. Les rêves, comme toujours, fournissent des indices, mais pas d'explications.

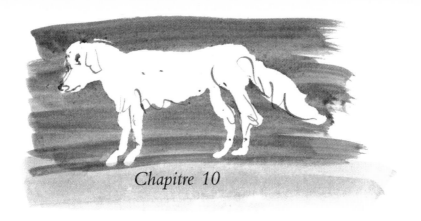

Chapitre 10

Une surprise les attendait en descendant du nid : le chien blanc était là, perché sur ses longues pattes fines. Adam s'en réjouit et se mit aussitôt à genoux. Tout en le caressant, il lui demanda :

— Comment tu t'appelles, joli chien ? Mon nom est Adam, et avec mon ami Thomas nous vivons dans la forêt. En ville, j'ai un chien que j'aime beaucoup. Il est plus petit que toi et s'appelle Miro.

Le chien était sidéré par les paroles et les caresses reçues, et resta immobile. Il était difficile de savoir si c'était un animal domestique ou un chien errant. Son poil était soyeux et il ne semblait pas abandonné. « S'il n'est pas abandonné, c'est qu'il a une maison, et s'il a une maison, c'est qu'il a de quoi manger », pensa Adam.

Il continua à lui parler et à lui poser des questions sur sa maison, mais, comme le chien ne réagissait pas, il lui demanda : « Peut-être cherches-tu un ami ? » Le chien ne réagit pas non plus à cette question. Il semblait de plus en plus muet, et Adam comprit que le langage des hommes lui était étranger. Apparemment, les gens chez qui il habitait ne lui parlaient pas et ne s'intéressaient pas à lui.

Thomas, qui était resté à l'écart sans se mêler des tentatives d'Adam, demanda timidement :

— Je peux le toucher ?

— Bien sûr. Il est venu nous rendre visite à tous deux.

Thomas s'approcha du chien, le caressa et dit :

— Je m'appelle Thomas.

Puis il recula, heureux d'avoir dominé sa peur.

— Parle-lui encore, l'encouragea Adam.

— Qu'est-ce que je lui dis ?

— Demande-lui d'où il vient.

— J'ai du mal à lui parler. Je n'ai pas l'habitude de parler aux chiens.

— Dans un jour ou deux, tu sauras parler aux animaux. Ce n'est pas difficile.

Adam recommença à caresser le chien, qui ressentit tant de plaisir et de confiance qu'il s'assit en fermant les yeux.

— Nous allons être de bons amis, dit Adam.

Mais le chien se releva en s'ébrouant. Adam l'enlaça en s'adressant à lui dans un flot de mots pour qu'il reste, promettant qu'ils allaient l'aimer et le gâter.

Le chien le contemplait avec ses grands yeux. Il était clair que sa patience prenait fin. Adam sortit des morceaux de sucre de sa poche et les tendit vers son museau. Le chien les renifla avant de les croquer. Thomas et Adam ne le quittaient pas du regard, guettant la moindre expression. Il resta un moment puis échappa à l'étreinte d'Adam et s'éloigna.

Adam voulut lui courir après, mais le chien prenait de la vitesse. Il se contenta de lui crier :

– N'oublie pas de revenir nous voir ! Nous t'attendrons.

Il espérait en vain que le chien tournerait la tête vers lui. Il continua à suivre des yeux l'animal, qui connaissait parfaitement son chemin. Il disparut.

Adam resta figé, sidéré par cette séparation brutale.

– Qu'est-ce qui se passe, Adam ? demanda Thomas, affolé.

– Le chien a laissé une partie de lui en nous.

– Je ne te comprends pas, Adam. Il faut que tu m'expliques.

– Quand les animaux se séparent de toi, ils laissent une part d'eux-mêmes en toi.

– Tu le sens, ou c'est une impression ?

– Je le sens dans les bras et dans les genoux, et parfois dans tout mon corps.

– C'est étrange, dit Thomas. Quoi qu'il en soit, tu lui as parlé de manière très naturelle. Comment as-tu appris à parler aux chiens ?

– Avec Miro.

– Tu t'adressais à lui comme au chien qui nous a rendu visite ?

– À Miro je parle comme à un ami.

– Tu le comprends vraiment, ou il te semble que tu le comprends ?

– Je le comprends et il me comprend.

– Les chiens, cependant, ne font pas partie de la famille des hommes, répliqua Thomas, sentencieux comme son père.

– Miro fait partie de notre famille. Mes parents le comprennent même mieux que moi.

– C'est étrange.

– Pourquoi ?

– Apparemment, moi, je ne sais pas parler aux chiens.

– Ne t'inquiète pas, Thomas, la forêt va te l'apprendre.

À ces mots, Thomas sourit et fut sur le point de dire : « Peut-on tout apprendre ? Certains apprennent facilement les mathématiques, d'autres, le dessin. Tout le monde ne peut pas tout apprendre. » Mais il se retint de parler.

La forêt était gorgée de lumière. On entendait au loin des beuglements, des hennissements et des aboiements. Ces sons rappelèrent à Adam les longues randonnées qu'il faisait avec ses parents dans la forêt des Carpates, les petits chalets en bois, les pâturages verts tachetés de vaches, moutons et chevaux. À midi, ils entraient dans une auberge commander une tourte de maïs fourrée aux cerises. En dessert, ils prenaient une coupe de glace.

Thomas fit un rêve étrange cette nuit-là. Sa mère et lui se tenaient devant la maison. Son père apparut soudain dans l'entrée de service, petit, maigre, le dos voûté, quasi méconnaissable.

Stupéfaite, la mère demanda :

— Que s'est-il passé ?

Au son de sa voix, le visage du père s'éclaira.

— Ils nous ont fait travailler et nous ont affamés du matin au soir, mais ils n'ont pas réussi à briser notre moral. Nous avons appris quelque chose à chaque occasion. Je donnais un cours d'histoire et mon ami Herman un cours de littérature. Nous n'avions pas de textes, mais la mémoire ne nous a pas fait défaut.

Tout en parlant, il s'affaissa et s'évanouit. Thomas et sa mère coururent vers lui et s'agenouillèrent pour mouiller son visage.

Chapitre 11

Le matin, un écureuil vint leur rendre visite. Adam s'agenouilla pour lui demander : « Comment vas-tu, petit écureuil ? » L'animal recula, le corps tendu. Ses cris disaient : « Vous êtes nouveaux dans la forêt, n'est-ce pas ? »

Adam lui donna un morceau de son sandwich. L'écureuil le renifla prudemment, le goûta, recula encore pour grignoter.

Quand il eut fini de manger les dernières miettes, il regarda à droite puis à gauche avant de retourner dans son arbre.

— J'ai remarqué, dit Thomas, que les écureuils ont des gestes qui ressemblent à ceux des humains. Est-ce que je me trompe ?

— Non. Nous avons plus de points communs avec les animaux que de différences, lui répondit Adam, heureux de cette phrase qu'il avait formulée.

— Toi, en tout cas, tu lui as parlé comme un homme parle à son prochain.

Adam se mit à rire.

— Je n'ai jamais entendu un enfant employer cette expression.

— Mes parents l'utilisent. Est-ce que ce n'est pas approprié ? demanda Thomas.

Ils mangèrent leur petit déjeuner et prirent des cerises en dessert, puis ils se préparèrent à une longue journée ensoleillée.

— N'est-ce pas étrange ? Nous vivons dans la forêt sans nos parents et nos amis. Qu'avons-nous fait de mal ? J'ai l'impression que c'est une punition. Je ne comprends pas très bien qui nous punit et pourquoi, dit Thomas, soudain volubile.

— Nous sommes juifs, lui répondit Adam, comme énonçant une évidence.

— Mais qu'est-ce que les Juifs ont fait de mal pour qu'on les punisse ?

— Les gens n'aiment pas les Juifs.

— Nous sommes différents des autres ?

— Il faut croire.

— Je ne vois aucune différence entre les Juifs et les non-Juifs, s'obstina Thomas.

Adam perdit patience.

— Les Juifs ont toujours souffert. C'est comme ça.

— Pourquoi ?

— C'est un mystère.

La réponse surprit Thomas.

— Il doit forcément y avoir une explication, dit-il de la même voix professorale que son père.

— Ce n'est pas aujourd'hui que nous réglerons cette question, répondit Adam en imitant également le ton de son père. Viens, allons faire une promenade en forêt. Je la connais bien. On a de mauvaises pensées quand on reste assis trop longtemps.

Thomas se releva d'un bond.

— Il ne faut pas penser, alors ?

— Pas tout le temps.

— Mon père n'aurait pas été d'accord.

Tandis qu'ils se promenaient, des merveilles surgirent devant leurs yeux. Tout d'abord un buisson de lilas en pleine floraison bleutée. Adam s'en approcha, cueillit une branche, la renifla et dit :

— C'est une odeur merveilleuse, la même que celle du lilas dans notre jardin.

— Je pensais que le lilas ne poussait que dans les jardins entretenus, remarqua Thomas.

— Le lilas pousse dans les endroits éclairés de la forêt, lui répondit Adam, heureux de se souvenir d'une parole de sa mère.

Thomas le regarda, de nouveau étonné par la science d'Adam.

Non loin du lilas poussait un rosier sauvage.

— La forêt n'est pas uniforme, dit Thomas d'une voix d'adulte.

Ils s'enfoncèrent encore dans les bois, vers d'autres prodiges. Thomas s'affola soudain :

— Il a dû arriver quelque chose à Maman. C'est pour ça qu'elle n'est pas revenue à temps. On peut retourner à notre arbre ? C'est loin ?

— Non, on y sera dans dix minutes, répondit Adam, apaisant.

Et ainsi fut-il. En quelques minutes ils arrivèrent à leur arbre, au grand soulagement de Thomas.

Chapitre 12

Mais la nuit ne fut pas tranquille. D'abord ils entendirent les pas d'un homme qui fuyait, ensuite des coups de feu résonnèrent. Adam et Thomas restèrent allongés, recroquevillés dans leur nid, aux aguets.

Après minuit, un silence complet régna, mais Adam et Thomas ne sortirent pas la tête de leur abri, toujours en alerte. Adam dit :

– Il faudra qu'on se trouve une cachette plus sûre. À l'intérieur de la forêt, la végétation est plus dense.

– Ça me fait de la peine de quitter ce nid, dit Thomas.

– Celui qu'on construira sera encore mieux.

– Quand va-t-on déménager là-bas ?

– Avant le lever du soleil. Mais mangeons d'abord quelque chose. Mon sandwich est délicieux.

– Le mien aussi. Dommage que ce soit le dernier. Nous n'avons pas été économes.

— Ça ne nous aurait pas aidés. En deux jours on aurait tout terminé.

— Tu as raison.

Ils restèrent assis encore un moment, silencieux, attentifs à ce qui se passait autour d'eux. Finalement, Adam suggéra de descendre et glissa au pied de l'arbre. Thomas jeta d'en haut les deux sacs à dos et les couvertures, puis Adam l'aida à descendre.

Après une heure de gros efforts à travers la végétation dense, ils s'arrêtèrent face à un arbre dont la cime ressemblait à celle de l'arbre où ils avaient construit leur nid.

— Bravo, Adam, c'est un arbre magnifique, s'écria Thomas en ôtant son sac à dos.

— Un jour, avec Papa et Maman, nous sommes passés près de cet arbre. Il m'avait déjà beaucoup impressionné. Je ne pensais pas qu'il deviendrait notre nouveau nid un jour.

Et sans plus tarder, ils partirent à la recherche de branches et de rameaux.

Ils agirent vite. Adam grimpa au sommet de l'arbre et Thomas lui tendit le bois qu'ils avaient ramassé. Il s'avéra que la nouvelle cime était plus large et plus touffue que la précédente. Adam, qui avait l'habitude de construire des nids, œuvra cette fois avec une grande rapidité.

– Encore des branches ? demanda Thomas.

– Quelques-unes, oui.

Puis ils montèrent les sacs à dos. En grimpant, Thomas s'écorcha.

– Ne t'inquiète pas, Thomas, j'ai des pansements et de la teinture d'iode dans mon sac.

Le sang coulait, mais Thomas ne se plaignit pas.

– Tu as tout fait comme un garçon des bois plein d'expérience, le félicita Adam en bandant son bras. Tu vas avoir une cicatrice qui prouvera que tu as grimpé à de grands arbres.

Les premières lueurs du jour commençaient à s'allumer au sommet des arbres, mais Adam et Thomas ne se dépêchèrent pas de descendre. Ils scrutaient la forêt, attentifs à tous les sons.

– Comment va ta blessure ?

– J'ai mal, mais ce n'est pas grave.

Ils restèrent assis, contemplant et écoutant ce qui se passait autour d'eux. Le sac de Thomas contenait encore quelques morceaux de sucre qu'ils croquèrent pour apaiser leur faim. Vers midi, quand la faim augmenta, ils descendirent se mettre en quête de nourriture.

Ils ne trouvèrent pas d'eau mais un grand plant de fraises des bois minuscules et parfumées qu'ils dévorèrent aussitôt.

Ils s'assirent au pied d'un arbre et regardèrent autour d'eux. Soudain, Adam s'agenouilla, colla son oreille contre la terre et s'écria :

– J'ai entendu un bruissement d'eau !

Ils se frayèrent un passage dans la forêt en s'arrêtant régulièrement pour tendre l'oreille. Au bout d'un moment, ils trouvèrent un ruisseau au débit vif et joyeux.

Une journée supplémentaire s'écoula ainsi. Thomas était moins inquiet. Ils étaient tous deux occupés à améliorer leur nid, à chercher des fraises et des mûres. Ils retournèrent au cerisier, et découvrirent même un pommier. Les fruits étaient acides, mais pas gâtés.

Mais la faim ne cessait de les tenailler. Ils avaient envie de pain, de soupe, de tous les plats que leurs mamans préparaient. Adam, qui d'habitude ne rêvait pas, rêva que sa mère lui faisait un sandwich dans la cuisine.

– J'avais si faim que je le lui ai arraché des mains. Puis j'ai eu honte et je lui ai demandé pardon. Maman n'était pas fâchée. Elle me regardait, le regard mouillé, en disant : « Ce n'est pas étonnant que tu aies faim. » J'ai mordu dans le sandwich et l'ai dévoré avec appétit. Dans le rêve, je l'ai mangé tout entier mais maintenant j'ai tout de même faim, raconta Adam en riant.

Thomas, lui, avait si faim qu'il avait des hallucinations : il grommelait ou cachait ses yeux comme s'il était ébloui.

— Que vois-tu ? lui demanda Adam.

— Je vois Maman porter un grand plateau couvert de plats.

— Elle s'approche de toi ?

— Elle s'approche, puis s'éloigne, ça me donne le tournis.

— Je te conseillerais d'enlever les mains de tes yeux.

— Je vais tomber.

— Viens, mangeons des cerises.

— J'ai peur que ça n'aggrave ma diarrhée.

— Alors allons boire de l'eau, ça ne fait jamais de mal.

Thomas ôta les mains de ses yeux.

— Pardon, Adam. La faim me fait perdre la raison et j'ai mal au ventre.

— Ne t'inquiète pas, on fera notre possible, et même ce qui est impossible, pour faire sortir du pain de la terre, lui dit Adam, en réussissant à faire sourire Thomas.

Les nuits étaient froides, et même leurs deux pulls et leurs manteaux ne suffisaient pas pour les réchauffer. D'après Adam, il n'y avait pas d'autre solution que de s'enfoncer plus profondément encore dans la forêt.

— C'est seulement là-bas que nous pourrons faire un feu pour nous réchauffer.

Thomas dévisagea Adam en se disant qu'il avait un vrai sens pratique. Il était un guide parfait.

Alors qu'ils se dirigeaient vers le ruisseau pour boire, Adam vit de loin un vieux manteau de paysan en peau de mouton. Il se précipita pour le soulever. Le manteau était certes vieux et élimé, mais il était entier.

— C'est un miracle ! s'écria-t-il.

— Un vieux manteau, un miracle ? s'étonna Thomas.

— Je n'ai pas d'autres mots. Quoi qu'il en soit, quelqu'un veille sur nous.

— Tu veux dire que Dieu pense à nous ?

— Je suppose, dit Adam, en étonnant Thomas encore plus.

Cette nuit-là il plut, mais ils restèrent au sec. La pluie glissait sur le manteau sans les atteindre.

— Nous sommes chanceux, dit Thomas.

Adam voulut dire qu'il n'était pas question de chance, mais il n'était pas certain qu'il faille prononcer ces mots.

Vers la fin de la nuit, les pas d'un homme en fuite résonnèrent de nouveau, mais il n'y eut pas de coups de feu.

– On ne va pas pouvoir continuer à se cacher comme ça, alors que des gens sont en danger, dit Adam. Il faudra descendre les aider.

– Comment ?

– On va préparer une Thermos d'eau, de la teinture d'iode, des bandages et des fruits. Si on voit quelqu'un de touché qui tombe, on descendra l'aider.

Cette fois, Thomas ne fut pas effrayé par cette nouvelle mission. Il dit :

– Les études sont importantes, mais aider un homme en détresse l'est encore plus.

Adam écouta attentivement ce que disait son camarade en comprenant qu'il essayait de faire le maximum d'efforts. Bientôt, il dominerait totalement ses peurs.

Chapitre 13

Les surprises se succédèrent. Ils continuèrent à explorer la forêt et trouvèrent une mare remplie de plantes d'eau.

– C'est ici que vivent les grenouilles qu'on entend la nuit, dit Adam, émerveillé.

Adam était heureux de chaque découverte. Thomas restait réservé. Encore craintif. En secret, il continuait à penser à ses parents, à sa maison, et quand il ne pensait pas à eux ses rêves se chargeaient de les lui montrer.

Pourtant, Thomas n'était plus le garçon qu'Adam avait rencontré pour la première fois dans la forêt. Il avait encore peur, mais il grimpait aux arbres sans aide et, lorsqu'il se laissait glisser le long du tronc pour descendre, il était plus assuré.

Ils mangeaient des fraises et des mûres, ajoutaient une pomme ou deux pour compléter le repas, mais ces bons fruits ne les rassasiaient pas. La faim leur donnait le vertige. Ils restaient assis près du ruisseau en se penchant de temps à autre pour boire.

« Est-ce que nous allons mourir de faim ? » demandaient les yeux de Thomas.

Adam le regardait avec chaleur en disant :

– La forêt possède encore beaucoup de trésors qui nous réjouiront. Nous allons les découvrir peu à peu, il suffit d'être attentifs. Il y a quelques jours à peine, nous avons trouvé un manteau qui nous protège.

« Mais que se passera-t-il d'ici là ? D'ici à ce que l'on trouve ces beaux trésors ? » questionnaient encore les yeux de Thomas.

– Thomas, nous devons nous habituer à la nourriture de la forêt. Il est vrai qu'elle est différente de celle de la maison, ce n'est pas facile de s'habituer à une nouvelle nourriture, mais nous y arriverons.

– Tu es un enfant croyant. Tu ne te désespères pas facilement. Je continue à m'interroger : « Pourquoi suis-je ici ? Pourquoi suis-je puni ? » Apparemment c'est une erreur de ma part.

– On peut corriger les erreurs. Si on ne pense plus au passé mais plutôt à ce que nous devons faire, notre humeur s'améliorera.

Thomas écoutait attentivement Adam et lui demanda :

– D'où tiens-tu cette sagesse ?

– De mes parents. J'aime beaucoup écouter aussi mes grands-parents. Ils disent toujours des choses utiles. Quand je suis triste, ma grand-mère dit : «Tu vivras encore des choses qui te réjouiront. Il ne faut pas trop s'attrister, il faut accepter le bon et le moins bon car tout vient de Dieu. »

Thomas avait l'intention de demander comment on savait que tout venait de Dieu, mais la faim le fatiguait et il s'endormit.

Cette nuit-là, Thomas fut réveillé en sursaut par un cauchemar et s'assit, hébété. Adam lui demanda d'une voix douce :

– Que s'est-il passé ?

– J'ai fait un cauchemar et j'ai du mal à en sortir.

– Qu'est-ce que tu as vu ? Raconte-moi.

– J'hésite.

– C'est un rêve clair ou confus ?

– C'est un rêve clair, mais douloureux.

– Raconte-moi, ça te soulagera.

– J'ai rêvé que j'étais à l'école, pendant la récréation. Soudain les enfants se sont levés en déclarant que je devais être puni. «Pourquoi ? Qu'ai-je fait de mal ? » ai-je demandé en tremblant de la tête aux pieds. Ils me fixaient tous en disant : «On en a marre de toi. Ton excellence permanente n'est pas seulement agaçante, elle est insupportable. – Je suis prêt à y renoncer », leur ai-je dit. « Mais tu l'as déjà promis et nous ne te croyons plus », a répondu le chef de ces brutes. « Qu'est-ce qu'il faut que je fasse pour que vous me croyiez ? – Nous avons décidé de te battre. Mets-toi sur cette chaise. – Si vous avez envie de me battre, allez-y, mais je ne m'assoirai pas sur cette chaise. » À ces mots, ils ont tous éclaté d'un rire terrible en défaisant leur ceinture. Les coups étaient violents et m'ont fait très mal. Heureusement que je me suis réveillé.

– Thomas, tu as fait un cauchemar très dur, mais tu l'as traversé comme un héros, lui dit Adam.

– Je tremblais.

– Dans la situation dans laquelle tu te trouvais, à un contre tous, n'importe qui, et pas seulement un enfant, aurait tremblé. Tu as été héroïque et tu n'as pas plié devant eux. Bravo. Après un tel cauchemar, tu as droit à un bon petit déjeuner.

À ces mots, des larmes se mirent à couler des yeux de Thomas.

Chapitre 14

Après avoir mangé des fraises et des mûres, ils partirent explorer la forêt. La faim les tenaillait toujours.
Au bout d'un moment, ils firent une halte. Thomas
plongea dans ses pensées.

— À quoi tu penses, Thomas ?

— À mon cauchemar. Il ne me lâche pas.

— Thomas, tu t'es sorti de ce cauchemar comme
un garçon courageux. Tu as reçu des coups mais tu
n'as pas plié. Tu peux être fier de toi.

Tandis qu'ils avaient repris leur marche, étourdis
par la faim, un pré se dévoila à leurs yeux entre les
arbres, habité par une vache et un veau. La vache
n'était manifestement pas habituée aux étrangers et
resta stupéfaite. Mais le veau ne s'effraya point. Il les
contemplait, le regard rempli de perplexité. C'était un
pré entouré de haies. Adam, après avoir regardé aux
alentours, s'y glissa pour caresser la vache et son petit,
puis, sans plus attendre, commença à traire la vache,

buvant le lait directement dans les paumes de ses mains. Il appela Thomas pour qu'il en fasse de même et ils burent ensemble le lait, gorgée par gorgée. S'ils avaient eu avec eux une tasse ou tout autre récipient, ils auraient pu la traire encore. Mais ils étaient heureux de ce que le matin leur avait apporté et ils retournèrent dans la forêt.

— Il n'y a rien d'aussi bon que le lait frais, dit Adam.

Thomas se souvint qu'il avait une Thermos dans son sac et proposa d'aller la chercher pour la remplir.

Ils marchèrent lentement, regardant autour d'eux, guettant l'apparition de créatures suspectes, et ce n'est qu'après s'être assurés qu'il n'y avait aucun danger qu'ils s'approchèrent de l'arbre. Thomas grimpa pour chercher la Thermos, et ils retournèrent vers le pré.

Adam recommença à traire la vache et remplit la Thermos. Si n'était la peur de voir surgir les propriétaires des gentilles bêtes, ils seraient restés près d'elles pour les cajoler.

De retour sur l'arbre, ils burent encore du lait, sentant combien chaque gorgée les nourrissait et les rassasiait. Ils s'endormirent sans s'en apercevoir.

Quand ils se réveillèrent, à l'approche du soir, Thomas dit :

— J'ai fait un drôle de rêve. Un rêve blanc. Tout était blanc : les arbres, les rues, les gens.

— Ils avaient peur ? demanda Adam.

— Non, ils étaient perplexes.

— Et toi aussi, tu étais blanc ?

— Apparemment, j'étais encore plus blanc que les autres. Ils me regardaient tous, persuadés que c'était moi qui étais la cause de toute cette blancheur.

— Qu'est-ce que tu leur as dit ?

— Je ne savais pas quoi dire.

— Tu as fait ce rêve blanc parce que nous avons bu du bon lait frais. Ma grand-mère dit que les rêves blancs sont de bons rêves.

— Merci pour l'interprétation.

Prudemment courbés, ils retournèrent voir la vache et le veau. Mais quand ils s'approchèrent du pré, ils virent que les bêtes avaient disparu.

Adam n'eut pas l'air inquiet.

— La forêt a encore de nombreux cadeaux pour nous.

— Tu fais tellement confiance à la forêt.

— Parfois, elle est meilleure que les hommes.

— Pourtant, elle nous apparaît toujours comme un endroit rempli de bêtes féroces.

— Souviens-toi d'une chose : les bêtes féroces attaquent uniquement lorsqu'elles ont faim.

— Et c'est là qu'on comprend que les hommes sont pires, conclut Thomas, en parlant comme son père.

Chapitre 15

Le lendemain, quand ils revinrent pour voir la vache et le veau, ils trouvèrent une petite fille vêtue de vêtements paysans en train de traire la vache. Ils se collèrent à un arbre pour l'épier.

— Elle est très petite mais elle est mignonne, dit Thomas.

Adam, concentré sur son visage et ses mains, s'aperçut qu'il s'agissait de Mina, une fille de leur classe. Il ne put se retenir de l'appeler en chuchotant son prénom.

La petite ne réagit pas.

— Tu es sûr que c'est elle ? demanda Thomas, effrayé.

— J'en suis certain, lui répondit Adam, avant de reprendre : Mina, c'est Adam et Thomas. Nous vivons dans la forêt et nous n'avons que des fruits à manger. Si tu pouvais nous apporter un peu de pain, nous te serions très reconnaissants.

Là non plus elle ne réagit pas, continuant à traire la vache. Une fois sa tâche terminée, elle prit délicatement le seau plein et le tabouret sur lequel elle s'était assise et disparut entre les arbres.

– C'est Mina, il n'y a aucun doute, murmura Adam. Elle a un peu changé mais elle a toujours la même expression.

– Comment l'as-tu reconnue ?

– En cours élémentaire, j'étais assis à côté d'elle en classe. Je me souviens de ses gestes et de ses expressions.

– C'est étrange. Au printemps nous étions encore à l'école, et maintenant, c'est chacun pour soi, dit Thomas, comme s'il ne s'adressait qu'à lui-même.

Mina était en effet petite et chétive, elle ne se faisait pas remarquer en classe. Elle accomplissait tous ses devoirs avec sérieux sans éveiller le moindre intérêt ou la moindre sympathie chez les autres. On ne l'appelait pas au tableau à cause de sa petite taille. Elle n'était jamais de service. Personne ne savait rien d'elle et la plupart du temps elle restait seule. Elle ne jouait pas dans la cour et n'avait pas d'amis. Au ghetto, elle travaillait avec sa mère à l'hôpital. Elle aidait à faire la toilette des malades et à les nourrir. Les malades l'aimaient beaucoup, ils l'appelaient « le petit ange ».

Mina semblait voler de chambre en chambre, apportant à l'un ses médicaments, à l'autre une assiette de soupe. Un jour, la mère trouva un couple de paysans prêts à la cacher chez eux en échange d'une somme d'argent.

— C'est Mina, j'en suis sûr, continuait de murmurer Adam.

Assis près du ruisseau, ils contemplaient l'eau scintillante depuis un moment. Adam brisa le silence.

— Le ruisseau est un être vivant.

— Tu veux dire qu'il nous vivifie ?

— Pas forcément. C'est beau de contempler tous ses mouvements brillants. L'œil aime la vue de l'eau, c'est quelque chose qui réjouit le cœur.

— C'est curieux, dit Thomas.

— Qu'est-ce qu'il y a là de curieux ?

— Mon père dit qu'il faut apprendre de toute chose. Mais que peut-on apprendre de l'eau ?

— J'ai du mal à l'expliquer. Si tu aimes regarder l'eau s'écouler, alors tu aimeras contempler un chien dans son sommeil, répondit Adam, et ils éclatèrent de rire ensemble à cette phrase.

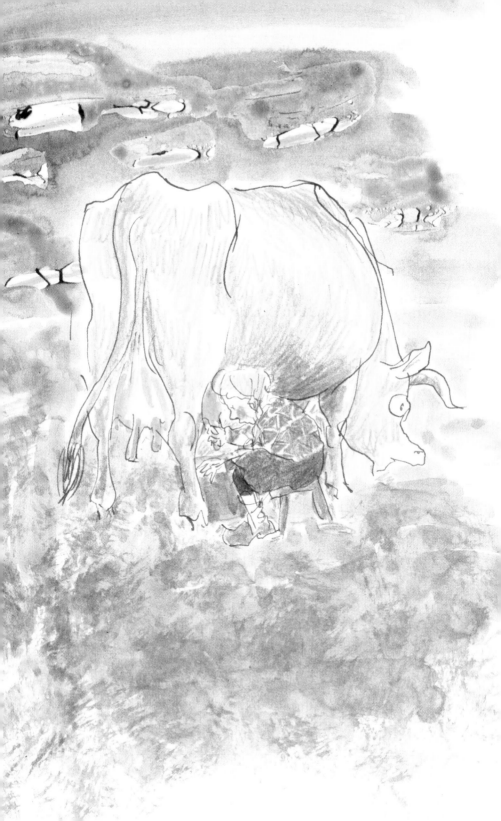

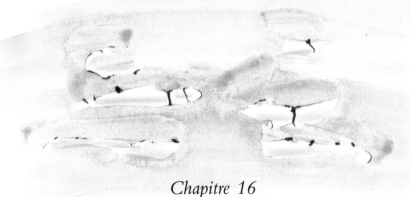

Chapitre 16

Au fil des jours ils s'exerçaient à courir penchés, à trouver des cachettes et à grimper aux arbres. Thomas était heureux de courir avec Adam. S'ils n'avaient été aussi faibles, ils se seraient entraînés plus encore. Les fraises, les mûres et le lait les nourrissaient certes, mais pas suffisamment. « Du pain, du pain », s'écriait parfois Thomas, et ils éclataient tous deux de rire.

Ils retournèrent voir Mina qui trayait la vache. Adam l'appela en chuchotant.

— Mina, c'est Adam et Thomas. Si tu pouvais nous apporter un peu de pain, nous te serions très reconnaissants.

Mina ne réagit pas plus que la fois précédente.

Son père était mort quand elle avait cinq ans, et sa mère travaillait comme femme de ménage. Ils étaient pauvres, mais la mère faisait tout son possible pour que ce ne soit pas une humiliation. Elle habillait sa fille avec de jolis vêtements et lui achetait des livres et des cahiers.

— Tu es sûr que c'est elle ? insista Thomas.

— À cent pour cent.

Tandis qu'ils se demandaient encore comment ils pourraient se procurer de la nourriture solide, ils découvrirent, au pied de l'arbre derrière lequel ils se cachaient pour épier Mina, une demi-miche de pain et du fromage enveloppés dans du vieux papier journal.

— Je ne me suis pas trompé ! s'écria Adam.

Ils allèrent s'asseoir près du ruisseau. Adam coupa avec son canif une tranche de pain pour chacun et un morceau de fromage. Ils avaient du mal à en croire leurs yeux.

Ils voulaient se réjouir mais avaient peur. Les longues journées de faim les avaient affaiblis. Ils mangèrent si vite le pain frais qu'il se coinça douloureusement entre l'œsophage et l'estomac.

— La prochaine fois, on mangera plus lentement, dit Thomas.

Ils burent au ruisseau. L'eau leur nettoya la gorge, chassant la douleur.

— Quelqu'un prend soin de nous, dit Adam.

— Tu veux dire que Dieu nous protège ?

Adam se tut, les yeux remplis de larmes.

Le lendemain, quand Mina vint traire la vache, Adam se posta derrière l'arbre le plus proche d'elle et chuchota :

— Merci, Mina, ça faisait longtemps qu'on n'avait pas mangé de pain.

Cette fois non plus, Mina ne réagit pas. Après avoir fini de traire, elle prit son tabouret, le seau et disparut.

Adam et Thomas l'observaient avec étonnement. Elle avait beaucoup changé en peu de temps. Elle n'avait pas grandi, mais son visage et son corps s'étaient renforcés et, quand elle trayait la vache, elle ressemblait à une vraie petite paysanne.

— Ce changement lui a coûté, dit Adam.

— Comment le sais-tu ?

— Ce n'est pas simple de changer. Ça exige de la détermination, tu es obligé soudain de ne plus faire les mouvements auxquels tu étais habitué, tu dois arrêter tes pensées et parler une langue qui n'est pas la tienne. Comme c'est bien que nous soyons dans la forêt et non pas chez Diana, où nous étions censés nous cacher. Chez elle, nous serions déjà différents, nous garderions les cochons ou je ne sais quoi. Nous souffrons de la faim, mais nous sommes restés qui nous étions. Nous avons une forêt et un ruisseau, et nous parlons la langue à laquelle nous avons été habitués, dit Adam, en parlant longuement pour une fois, tout ému.

— Mina a certes changé mais pas au fond d'elle-même. Elle prend des risques pour nous apporter à manger. Il faut apprécier son courage, dit Thomas.

— C'est vrai. Je suis désolé si mes paroles ont pu faire croire que je méprisais les gens qui changent.

Tous les deux-trois jours, elle leur laissait un morceau de pain ou une part de tourte de maïs. Dernièrement, elle avait déposé aussi une grosse tomate bien rouge.

— Dieu nous a envoyé Mina pour nous sauver de la faim, dit Adam.

— Est-ce que l'envoyé de Dieu sait qu'il est un envoyé ou il agit sans le savoir? demanda Thomas, en parlant comme son père.

— Tu t'exprimes étonnamment bien.

— Je dois faire attention. Parfois mes parents se mettent à parler à travers moi, dit Thomas, et il éclata de rire.

Chapitre 17

Et tandis qu'ils se demandaient encore que faire, où aller, comment trouver un autre manteau ou une couverture pour réchauffer le nid, au milieu de la nuit, ils entendirent des gémissements de douleur. Adam et Thomas se dépêchèrent de descendre de l'arbre et se mirent à courir en direction des plaintes. Ils trouvèrent un homme couché, la respiration saccadée.

Adam se pencha vers lui.

– Je m'appelle Adam. Vous avez mal où ?

– Je me suis affaibli. Ça fait deux jours qu'on me poursuit. Je n'ai plus de forces.

– Nous avons un peu de lait et aussi du pain frais.

– J'ai soif. Si vous avez de l'eau, ça me sauvera.

– Buvez un peu de lait, on vous apportera de l'eau ensuite.

Ils soulevèrent ensemble la tête de l'homme, qui but goulûment.

– Maintenant nous allons vous apporter de l'eau.

– Merci, les enfants. Merci. Vous êtes des anges.

Ils coururent au ruisseau, rincèrent la Thermos avant de la remplir, et l'homme but encore jusqu'à plus soif. Puis il ouvrit les yeux.

– Vous êtes des anges, les enfants. D'où venez-vous ? Qui vous a envoyés me sauver ?

– Je suis Adam, et mon ami s'appelle Thomas. Nous nous cachons dans la forêt depuis le début de l'été.

– Vous m'avez entendu ?

– Clairement. Nous avons un nid au sommet d'un grand arbre. On entend tout de là-haut. Comment vont les gens au ghetto ?

– Le ghetto a été liquidé.

– Et les gens, ils sont où ?

– Ils ont été envoyés en Pologne.

– Ils y sont déjà arrivés ? demanda Thomas prudemment.

– Je suppose.

Des coups de feu se firent entendre. L'homme leva la tête et s'écria :

– Sauvez-vous, les enfants, sauvez-vous. Je vais me trouver une cachette.

Mais Adam et Thomas ne bougeaient pas. Il répéta encore :

— Vite, vite, il ne faut pas que vous restiez près de moi.

Ils retournèrent à l'arbre en courant, penchés. Ils étaient inquiets pour lui. Qui sait s'il allait trouver une cachette, s'il allait tenir le coup. Les questions sur leur propre sort avaient disparu. Le visage de l'homme ne les quittait pas.

Les tirs cessèrent juste avant l'aube. Ils ne se dépêchèrent pas de descendre. Ils étaient aux aguets. Ce n'est que lorsque la lumière s'installa sur la forêt qu'ils descendirent, allèrent jusqu'au ruisseau en se courbant pour se rincer le visage et boire.

Il leur restait encore un peu de pain et de fromage.

— Adam, tu crois que Dieu va bientôt se révéler à nous ?

— Ce n'est pas ce que j'attends. J'attends que mon père et ma mère viennent me chercher, répondit Adam, à la grande surprise de Thomas.

— Je croyais qu'un homme croyant espérait toujours voir Dieu.

— Mon grand-père dit que Dieu réside partout. Celui qui Le cherche Le trouve partout, chez les gens, les animaux, et même dans ce qui est inanimé.

— Dieu se trouve même dans les gens mauvais ?

— Non, eux l'ont chassé.

— Je l'ignorais, murmura Thomas. Ton grand-père te parle souvent ?

— Grand-père n'est pas bavard. C'est un taiseux.

*
* *

Et tandis qu'ils en étaient encore à se demander ce qu'ils allaient faire, et où ils pourraient bien aller, ils virent au loin un chien, museau à terre, allant d'arbre en arbre en les reniflant. Il leva soudain la tête et se mit à courir vers eux.

C'était Miro !

Adam s'agenouilla, écarta les bras et serra contre lui le chien, la gorge étranglée d'émotion. Miro avait l'air négligé, ses poils étaient clairsemés, il avait maigri. Adam surmonta sa stupéfaction et demanda :

— Comment as-tu fait pour me trouver ?

Puis il posa sa tête contre la sienne, l'enlaça à nouveau en se blottissant contre lui.

Thomas était stupéfait. Il n'avait encore jamais vu un tel amour pour les animaux.

— C'est mon Miro. C'est mon chien à moi, répétait Adam. Il dort dans ma chambre et, en hiver, il se roule en boule sur ma couverture. Comment ai-je pu me passer de lui ? Comment va Maman ? Comment vont les grands-parents ?

Miro gémit faiblement en se recroquevillant dans les bras d'Adam.

Thomas émergea de sa stupeur pour demander :

– Comment t'a-t-il trouvé ?

– Rien n'est impossible pour Miro.

– Il t'a déjà retrouvé comme ça ?

– Un jour, Maman a perdu son porte-monnaie, ce qui l'a beaucoup chagrinée. Miro s'en est aperçu. Il est sorti le chercher, sans que personne lui demande rien. De longues heures ont passé et il n'était toujours pas revenu. On était très angoissés pour lui. Il est rentré tard dans la nuit, tenant le porte-monnaie dans sa gueule. Miro est une créature extraordinaire. Est-ce que ça ne se voit pas ? demanda Adam, tout ému.

Chapitre 18

Ils n'imaginaient pas à quel point leur vie allait changer à partir de là. Adam lava Miro et mit ses mains en coque pour lui donner de l'eau. Le chien était assoiffé, il but jusqu'à la dernière goutte.

– Thomas et moi habitons maintenant dans la forêt. Je n'ai pas eu de nouvelles de Maman depuis que nous nous sommes séparés. Je suppose qu'elle se cache quelque part avec les grands-parents. Tu en sais sûrement plus que moi.

Miro le contemplait de ses grands yeux, laissant échapper quelques brefs aboiements, et Adam comprit que le chien était bouleversé par les retrouvailles et ne pouvait pas dire grand-chose.

Miro était un chien intelligent. Il savait tout ce qui se passait à la maison, qui était triste, qui était malade. Quand l'un des grands-parents était souffrant, il restait assis près de son lit, compatissant. Pendant les fêtes, il se réjouissait avec tout le monde.

– Qu'est-ce qui t'est arrivé, Miro, depuis que je t'ai quitté? répétait Adam en le serrant contre lui.

Thomas demanda doucement:

– J'ai le droit de le caresser?

– Bien sûr. Il est à nous deux, maintenant.

Thomas s'agenouilla pour caresser le chien. Miro le regarda comme pour lui dire: «Je suis déjà l'ami d'Adam, je ne vais pas pouvoir être le tien.»

Thomas, bien qu'il ne comprît pas le langage des animaux, saisit que le chien exprimait sa fidélité envers Adam. Il n'y avait pas de place en lui pour un autre enfant.

Adam sentit que Thomas était blessé et dit:

– Ne t'inquiète pas. Il deviendra ton ami aussi.

– Moi, avec les animaux, je suis sourd et muet, répondit Thomas.

– Tu te trompes. Bientôt tu lui parleras comme moi.

Ils passèrent la nuit dans le nid contre Miro, avec le sentiment qu'il était porteur d'une nouvelle, mais qu'il n'avait pas encore trouvé les jappements justes pour l'exprimer.

Le lendemain, Adam sentit que Miro était prêt à dire quelque chose. Il sautait dans tous les sens en poussant des petits jappements et des aboiements. Adam le serra contre lui en murmurant à son oreille:

— Essaie de me parler encore, mon Miro. Je ne comprends pas.

Miro se mit soudain à tirer comme un fou avec ses pattes sur son collier, dans une attitude qui ne lui ressemblait pas.

Adam lui enleva le collier. Il y trouva une lettre pliée.

«*Adam, mon chéri, pardon. Je n'ai pas pu te rejoindre comme je te l'avais promis. Si tu n'es pas encore allé chez Diana, n'hésite pas, vas-y. Donne-lui les bijoux en or que j'ai cousus dans la doublure de ton manteau et dis-lui que je viendrai bientôt lui en donner d'autres. Tu connais Diana, elle est colérique, mais ce n'est pas une mauvaise femme. Je suis sûre qu'elle te fournira un abri. Mais si elle refuse, va chez sa tante, Christina. C'est une veuve qui vit près des bosquets touffus. Elle te cachera.*

«*Je n'ai pas trouvé d'abri pour les grands-parents. Je n'ai pas d'autre solution que d'aller avec tout le monde à la gare. Je ne peux pas laisser les grands-parents seuls. Tout le monde dit que la guerre approche de sa fin. Je prie pour que Dieu te protège d'ici là. Tu es un garçon intelligent et je fais confiance à ton sens de l'orientation. Pardonne ta mère qui t'aime énormément.*»

Adam lut et relut la lettre, les yeux pleins de larmes.

— Qu'est-ce que ta maman t'écrit? demanda Thomas, pour se sentir proche de lui.

— Excuse-moi, Thomas, je ne peux pas parler maintenant, répondit Adam en serrant Miro contre lui.

Chapitre 19

Le lendemain, Adam alla traire la vache et remplit la Thermos. Ils s'installèrent près du ruisseau et Miro participa au pique-nique. Miro ne lâchait pas Adam d'une semelle. Il émettait des petits aboiements familiers qu'Adam ne parvenait pourtant pas à déchiffrer, alors il s'agenouillait près de lui en répétant : « Qu'est-il arrivé à Maman et aux grands-parents ? Quand ont-ils quitté la maison ? »

Apparemment, Miro savait tellement de choses qu'il ne parvenait pas à les exprimer. Un jour et demi s'était écoulé depuis son arrivée, mais il était encore tout agité.

Miro était un bâtard de petite taille, au pelage noir tacheté de blanc. Pas particulièrement beau, mais costaud. Il pouvait bondir vivement et courait à longues foulées. Il aimait être caressé mais ne faisait pas le gâté et n'embêtait personne en aboyant inutilement. Le père d'Adam disait qu'il était un « chien pragmatique ».

Adam relisait sans cesse la lettre que Miro lui avait apportée en devinant la douleur inscrite entre les quelques phrases écrites par sa mère. Son père ployait sous de lourds rails qu'il devait transporter d'un endroit à l'autre. Sa mère et ses grands-parents étaient quelque part en Pologne. Il y a peu de temps, ils étaient tous ensemble, et maintenant ils étaient dispersés.

Thomas aussi pensait à son père, enrôlé dans les travaux forcés, et à sa mère qui devait protéger les grands-parents.

Il se tourna soudain vers Adam pour lui demander :

— Est-ce que Dieu nous protège ?

— Pourquoi poses-tu cette question ?

— Notre situation m'inquiète.

— Mes grands-parents sont proches de Dieu. Ils prient et lisent parfois les livres saints.

— Toi, tu ressens Dieu ?

— Quand je suis avec mes grands-parents, oui.

— Mais toi, tout seul, tu ressens Sa présence ?

— Parfois j'ai l'impression qu'Il plane au-dessus de moi, répondit Adam, le visage perplexe.

Les réponses d'Adam ne rapprochaient pas Thomas de Dieu, mais il sentait qu'Adam n'inventait rien, n'exagérait pas, il essayait simplement de lui transmettre ses sensations.

— Merci, Adam, de me faire partager ce que tu ressens.

— J'ai du mal à parler de choses mystérieuses. Je n'ai pas les bons mots.

— Je te comprends.

Mina ne les oubliait pas. Elle leur laissa de nouveau quelques parts de tourte de maïs et un morceau de fromage enveloppés dans du papier journal, au pied d'un arbre.

— Si seulement on pouvait la remercier, dit Thomas.

— Il ne faut pas qu'on nous voie avec elle. Elle vit dans la clandestinité, maintenant, murmura Adam.

— Tu as raison, approuva Thomas, étonné par la perspicacité de son ami.

Ce jour-là, Thomas réussit à écrire dans son journal : *Hier nous avons eu un invité surprise, Miro, le chien d'Adam. Son arrivée surprenante a renforcé en moi la certitude que la fin de la guerre est proche et que nous nous retrouverons bientôt. Miro est une créature extraordinaire. Il a erré de nombreux jours dans la forêt avant de trouver Adam, qui a découvert dans son collier une lettre écrite par* sa mère. Elle raconte qu'elle n'a pas réussi à trouver de cachette pour les grands-parents, c'est pourquoi ils se sont rendus à la gare avec tous les autres. Est-ce que toi et les grands-parents avez suivi le même chemin ?

Jusqu'à il y a peu, on arrivait à se nourrir avec les fruits de la forêt mais il y en a de moins en moins. Pour notre plus grande chance, nous avons retrouvé une fille de notre classe, Mina, qui se cache chez un paysan. Elle nous apporte de temps en temps du pain, ou une tourte de maïs et un morceau de fromage, elle nous sauve ainsi de la famine.

Adam répète que c'est Dieu qui nous a envoyé Mina. Moi, j'ai du mal à prononcer cette phrase. Adam vient d'une famille traditionaliste. Sa confiance en Dieu est chevillée à son corps. Je n'oublie pas ce que Papa répète : « Les hommes. Seule leur bonté nous intéresse. Nous n'avons rien à faire de suppositions. »

À vrai dire, Adam et moi ne nous disputons pas. Nous sommes occupés du matin au soir par l'entretien du nid et la quête de nourriture. Ce n'est pas facile de survivre dans la forêt. Adam est un bon ami et un garçon optimiste. Sans lui, je doute que j'aurais tenu bon.

Chapitre 20

La pluie commença à tomber dru, les obligeant à remonter dans le nid pour se protéger avec le manteau en peau de mouton. Miro était content, il restait collé à Adam en émettant des aboiements joyeux.

— Heureusement qu'on a ce manteau pour nous protéger. Et Miro, aussi, dit Adam.

La pluie continua à tomber toute la journée et la nuit. À la première éclaircie, ils descendirent voir la vache et son veau dans le pré. Ils ne s'y trouvaient pas, mais il y avait un petit paquet enveloppé dans un torchon, avec quelques parts de tourte de maïs, un morceau de fromage et des fruits secs.

Adam s'écria, enthousiaste :

— C'est Dieu qui nous a envoyé Mina !

— Adam, moi aussi, je voudrais croire en Dieu.

— Il faut t'armer de patience. Chacun arrive à lui par son propre chemin.

— Mon père dit que la foi en Dieu s'est retirée du monde, fit Thomas.

— Thomas, ton père est un homme droit. Il est dévoué corps et âme à ses élèves. Il sert Dieu à sa manière.

— Moi aussi, il faudra que je trouve ma manière.

Ils grimpèrent dans le nid pour manger. Depuis l'arrivée de Miro, l'humeur de Thomas avait changé. Il ne plongeait plus dans de grands moments de tristesse. Miro, sensible à la tendresse qui émanait du garçon, se laissait caresser par lui à présent.

Mais les nuits n'étaient pas tranquilles. De temps en temps on entendait les pas de quelqu'un qui fuyait, et parfois des coups de feu. À l'horizon, des bruits lourds et sourds résonnaient, qui ressemblaient à des coups de tonnerre lointains.

Alors qu'ils étaient attentifs à la pluie et aux grondements, ils entendirent de nouveau un homme gémir de douleur.

— Allons voir ce qui se passe, dit Adam en sortant aussitôt des bandages de son sac à dos. Thomas prit avec lui la Thermos et les restes de tourte.

Non loin du nid, un homme se tordait de douleur par terre. Adam le reconnut aussitôt. Il s'agissait de leur professeur de musique. Il se pencha vers lui.

— Que s'est-il passé, monsieur Braverman ?

— Qui êtes-vous ? demanda-t-il, hébété.

— Adam et Thomas, vos élèves.

— Pardon, dit-il en laissant retomber sa tête.

— Vous êtes blessé ? chuchota Adam.

— À la jambe.

— Nous avons de la teinture d'iode et des bandages.

Adam lui ôta son pantalon. Le sang et la blessure étaient visibles, même dans l'obscurité.

— J'ai été touché par une balle mais, apparemment, elle n'est pas arrivée jusqu'à l'os.

Après avoir lavé la plaie, ils l'enduisirent de teinture d'iode. Le professeur de musique ouvrit les yeux.

— Merci les enfants pour votre aide bénéfique et votre dévouement. Il fait jour maintenant, vous devez retourner vous cacher.

— Buvez un peu d'eau, je vous en prie, et goûtez à la tourte de maïs, lui dit Adam.

Le professeur obtempéra puis répéta :

— Mes chers enfants, retournez à votre cachette. Nous nous retrouverons après la guerre.

— Elle est en train de se terminer ? demanda Thomas d'une voix tremblante.

— L'armée allemande bat en retraite, l'Armée rouge approche, mais il n'y a pas de répit pour les

Juifs. On pourchasse tous ceux qui essaient de s'enfuir, un par un. Où vous cachez-vous ?

– Au sommet d'un arbre.

– Vous êtes des enfants intelligents. Ne bougez pas quand il fait jour.

– Où allez-vous, monsieur Braverman ?

– Je vais chercher ma femme et mes enfants. Dites-leur que vous m'avez vu si vous croisez leur chemin. Je vais me cacher à présent sous un buisson et je repartirai cette nuit.

Thomas surmonta sa timidité pour lui dire :

– Si vous rencontrez nos mères, dites-leur que nous sommes en lieu sûr.

– Naturellement. Allez, retournez vite dans votre cachette, il ne faut pas errer quand il fait jour.

Le professeur Braverman était très apprécié : il aimait la musique et les enfants. Quand quelqu'un n'avait pas une bonne oreille, il lui disait : «Ta vue est certainement meilleure que la nôtre. La nature distribue les capacités. Elle est parfois plus généreuse que les hommes.»

Le professeur Braverman était communiste. Il disait toujours qu'il fallait répartir les biens avec justice. Il ne fallait pas que les riches possèdent tout alors que certains n'avaient même pas un morceau de pain. Il souffrait beaucoup à cause de ses opinions. La police venait souvent l'arrêter à l'école, et il passait des mois en prison. Quand il acceptait de signer une déposition où il s'engageait à ne pas répandre ses idées, on lui permettait de retourner enseigner à l'école. Il faisait alors attention à ce qu'il disait, mais parfois il laissait échapper une allusion, et il était aussitôt suspendu.

– J'aime le professeur Braverman. Je n'ai ni une bonne oreille ni une bonne vue, mais il me console toujours en disant : «Tu sais penser. Ne t'inquiète pas. Chacun a son domaine.» C'est un homme merveilleux, dit Thomas, sur le point d'éclater en sanglots.

Chapitre 21

La pluie ne cessait pas et les tirs déchiraient la nuit en ébranlant le nid. À la première accalmie, ils descendirent voir la vache et le veau, mais ils n'étaient pas dans le pré. En revanche, Mina avait de nouveau déposé quelques tranches de pain et du fromage, enveloppés cette fois dans du carton.

Ils remontèrent dans leur nid, heureux de manger. Miro aussi était joyeux, se frottant aux jambes d'Adam puis de Thomas.

– Thomas, écris s'il te plaît une petite lettre à Mina.

– Qu'est-ce que je peux lui écrire? On ne peut pas lui dire «chère Mina», il ne faut pas que quelqu'un sache qu'elle a des amis ici. On n'a qu'à dire simplement : «Merci. A. et T.»

– Peut-être qu'on pourrait dire : «On te bénit, merci. A. et T.»

— Je n'ai jamais utilisé ce verbe.

— Il est pourtant beau, dit Adam.

— Mais incompréhensible. Je n'ai pas l'habitude d'écrire des mots que je ne comprends pas. Je propose : « Merci du fond du cœur, A. et T. »

— Pourquoi es-tu si pointilleux, Thomas ?

— Qu'est-ce que je peux y faire ? C'est comme ça que j'ai été élevé.

Les nuits étaient froides et agitées. Il leur semblait parfois que le professeur Braverman était encore étendu sur l'herbe en train de gémir. De temps à autre, ils entendaient les pas d'un fuyard qui cherchait un abri dans la forêt.

« Comment pourrait-on aider tous ces gens ? se demandait Adam. On doit absolument leur porter secours. »

Il eut soudain la vision de sa mère dans la cuisine commune du ghetto, en train de servir de la soupe à des gens maigres et affaiblis qui réclamaient du pain. Elle répondait en haussant les épaules : « Je n'en ai plus. Il ne reste pas une miette. » Le soir elle rentrait épuisée et s'effondrait sur son lit.

Les parents de Thomas croyaient beaucoup dans les études. Ils enseignaient aux enfants qui avaient été renvoyés de l'école, accordaient beaucoup d'importance aux devoirs et répétaient : « Ils peuvent nous affamer, ils ne nous ôteront pas notre humanité. »

Le père de Thomas ne se contentait pas d'enseigner aux enfants. Il avait organisé des cours d'histoire, de littérature et même de musique pour les adultes. Il élevait parfois la voix pour s'écrier : « La barbarie ne nous fera pas reculer ! » Tous n'étaient pas d'accord avec lui. Certains se moquaient de lui, l'affublaient de noms bizarres, mais ça ne l'arrêtait pas. Il organisait des cours jour et nuit, jusqu'au moment où il fut raflé et enrôlé dans une brigade de travail.

Chapitre 22

Ensuite il y eut des nuits calmes, et il sembla que le flot des fuyards avait cessé. Le pain et le fromage nourrissaient Miro et les enfants. Entre deux averses, ils descendaient de l'arbre et se faufilaient pour traire la vache.

Adam dit :

— Dieu seul sait à quel point Mina se met en danger pour nous.

— Moi aussi j'y pense, répondit Thomas.

— Est-ce que nous le méritons ?

— On fera tout ce qu'il faut pour en être dignes, dit Thomas, la voix étranglée par l'émotion.

— On ne l'estimait pas à sa juste valeur quand elle était en classe avec nous.

— La pauvre. C'est interdit de mépriser qui que ce soit.

— Et il faut se répéter les paroles du frère Peter : « Chaque être est porteur d'une nouvelle. »

Dans la nuit, ils entendirent de nouveau les pas d'un homme qui s'enfuyait et de ses poursuivants. Du haut de l'arbre, ils assistaient à la lutte entre les forts et les faibles, et leur cœur se serrait.

– On ne peut pas regarder cela sans rien faire. On doit aider les fuyards, dit Adam.

Thomas le prit au mot et, lorsqu'il aperçut un homme en train de courir avec un bébé dans les bras, il lui cria : « N'ayez pas peur, ne désespérez pas. L'Armée rouge est en route vers nous. Elle arrivera bientôt, dans un jour ou deux. »

L'homme ne s'arrêta pas pour savoir qui lui parlait et continua sa course, essoufflé, mais ses poursuivants, qui avaient entendu la voix de l'enfant, levèrent la tête et tirèrent en direction du nid.

– Partons ! dit Adam.

– Je suis désolé, je n'ai pas pu me retenir.

– Ne t'en veux pas. Un mot d'encouragement est parfois aussi précieux qu'un bandage.

– Merci.

Adam pensa : « Thomas ne perd rien de ses bonnes manières, y compris lorsqu'il est sous tension. »

Aux dernières heures de la nuit, ils plièrent les couvertures et le manteau de peau, fermèrent leurs sacs, descendirent de l'arbre et se frayèrent un passage dans la forêt. Au bout d'un moment ils aperçurent un arbre à la cime ronde. Ils amassèrent aussitôt des branches et des rameaux, Adam grimpa là-haut et Thomas les lui tendit. Ils étaient à présent au cœur de la forêt, loin des sentiers, et Thomas se demanda s'ils ne s'étaient pas trop éloignés de la vache et du veau, et de l'arbre au pied duquel Mina leur déposait de la nourriture.

Adam dit alors :

– Je connais la forêt et tout ce qu'elle contient.

Chapitre 23

Tandis qu'ils se pelotonnaient dans le nouveau nid, la pluie se remit à tomber. Lentement pour commencer, avant de s'abattre avec force. Le manteau en peau, qui avait absorbé beaucoup d'eau, était glacé et pesait lourdement. Leur situation aurait été pire encore s'il n'y avait eu Miro. Il diffusait non seulement de la chaleur, mais aussi de la gaieté.

— J'ai remarqué qu'il est différent de nous et qu'il nous ressemble pourtant, dit Thomas.

— Je l'aime simplement comme il est.

Thomas s'extasiait sur cette façon directe de penser qu'avait Adam. Il ne se plaignait jamais, ne se disputait pas, agissait toujours. Il y avait beaucoup à apprendre de lui.

Les grondements s'intensifièrent à l'horizon. Il était difficile de savoir si c'était le tonnerre ou les bombardements. La pluie ne cessait pas. Un fuyard tomba et ses hurlements parvinrent jusqu'à la cime de l'arbre. Adam et Thomas prirent aussitôt les bandages, la teinture d'iode et descendirent vers le blessé. À leur vue, ce dernier leva la tête, stupéfait :

— Qui êtes-vous ? Comment êtes-vous arrivés là ?

— Je m'appelle Adam et voici mon ami Thomas. Nous nous cachons dans la forêt.

— Mes chers enfants, je suis blessé. Merci de vouloir m'aider.

— Si vous nous montrez la blessure, nous pourrons la soigner. Nous avons des bandages et aussi de la teinture d'iode, dit Adam d'une voix douce.

— Vous êtes des anges. Je n'en crois pas mes yeux.

Sans plus attendre ils retroussèrent sa manche et découvrirent la blessure. Adam nettoya le sang et Thomas la badigeonna de teinture d'iode. L'homme, sous l'effet de la brûlure, se mordit les lèvres.

Ils restèrent assis près de lui avec Miro.

— Qui êtes-vous ? demanda-t-il encore.

Adam répéta son prénom et celui de son camarade.

— Je connais tes parents, Adam. J'ai un magasin de meubles et j'en achète souvent à ton père. C'est un merveilleux artiste.

— Est-ce que vous avez vu nos mères ? demanda Thomas.

– Il y avait une grande panique à la gare. C'était le dernier convoi. Mes parents m'ont poussé à m'enfuir, et je les ai laissés face à leur destin. Je ne me le pardonnerai jamais.

– C'était il y a longtemps ?

– Plusieurs jours ont passé depuis. On me poursuit. Les enfants, retournez dans votre cachette. Je vais me chercher un abri. J'entends déjà les canons gronder. L'Armée rouge se rapproche. Tenez bon.

Ils parvinrent encore à le persuader de manger un peu de tourte et de boire de l'eau, puis ils s'en allèrent.

Thomas ne cessait de rêver.

– J'ai vu mon père dans mon rêve, il revenait de la guerre. Je lui ai tout de suite demandé pardon de ne pas avoir ouvert les livres que j'avais emportés avec moi, ni cherché à résoudre les problèmes de calcul. Il m'a regardé en disant : « Tu n'as rien à regretter. Les cours reprendront sitôt la guerre terminée et nous ferons tout ce qu'il faut pour que tu rattrapes ton retard. » C'est étrange, me suis-je dit. Papa continue de s'inquiéter pour mes études. Il est si maigre pourtant, il tient à peine debout. « Pardon, ai-je répété. – Ce n'est pas de ta faute, mon fils », a-t-il dit juste avant de disparaître. C'est un rêve étrange, n'est-ce pas, Adam ?

– Moi aussi je rêve parfois, mais j'oublie tout à mon réveil.

– Tu as de la chance. Je rêve quasiment chaque nuit. Maman dit que les rêves cherchent à nous guider, à nous montrer ce que nous devons faire. C'est notre conscience.

– Je ne sais pas quoi te dire.

C'était une phrase qu'Adam prononçait chaque fois que Thomas lui posait une question trop compliquée. Thomas avait pris l'habitude de s'entendre répondre cela, mais il continuait à évoquer des sujets difficiles.

Parfois, Adam se moquait un peu des questions de Thomas et il lui dit un jour : « La prochaine fois, trouve-toi un ami qui saura répondre à toutes les questions. »

Alors qu'ils étaient en chemin vers la vache et son petit, un vieux paysan surgit devant eux. Ils sursautèrent.

Le paysan avait l'air également surpris et il demanda :

– Qui êtes-vous ?

Adam rassembla son courage pour donner leurs prénoms.

– Vous êtes des petits Juifs ?

– Oui, dit Adam, en reculant de deux pas.

– Et vous n'avez pas peur ?

— Un peu, répondit Adam.

— L'Armée rouge va bientôt arriver et vous pourrez rentrer chez vous. On entend déjà les canons.

— Ça se passera quand ? demanda Adam.

— Bientôt, dit le paysan en sortant de sa poche une tranche de gâteau marron qu'il lui tendit.

— Merci, grand-père.

— Ce n'est pas moi que vous devez remercier, c'est Dieu. Les enfants, cachez-vous bien, les Allemands sont partout. Ne sortez pas de votre cachette. Je vous laisserai de temps en temps de quoi manger près de cet arbre, et le jour de la victoire vous viendrez me rendre visite.

— Quel est ton nom, grand-père ?

— Sergueï.

Ils se dépêchèrent de retourner vers leur arbre. Miro n'arrivait pas à dissimuler sa joie, se dandinant sur ses pattes en attendant qu'on lui donne un bout de gâteau. C'était un délicieux gâteau au miel qu'ils engloutirent aussitôt. Et l'eau qu'ils burent à la Thermos eut un meilleur goût que d'habitude.

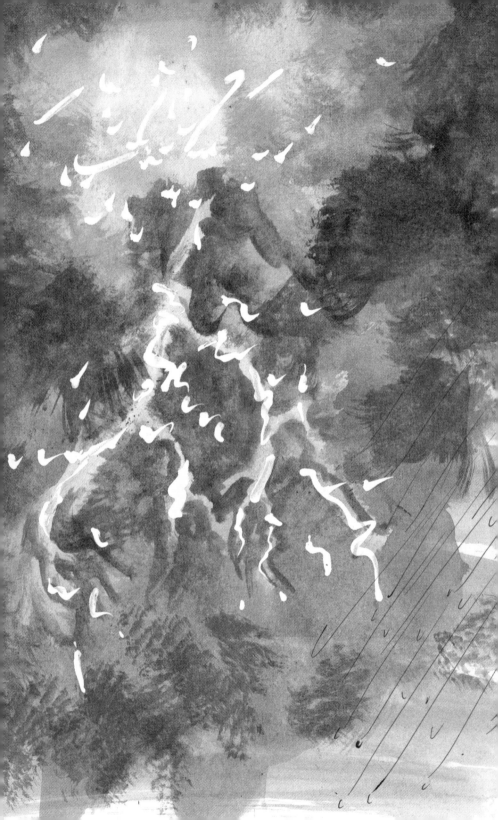

Chapitre 24

À partir de là, la pluie tomba sans répit, accompagnée du tonnerre et des éclairs. La grêle s'y mêla, cognant le manteau violemment. Ils auraient gelé s'il n'y avait eu Miro et la chaleur de son corps.

— Qui est vraiment le vieux Sergueï ? demanda Adam.

— Tu veux dire qu'il nous a été envoyé ?

— Je ne sais pas s'il nous a été envoyé. Je suis heureux qu'il soit apparu, en tout cas.

— Mon père dit qu'un homme doit faire ce qu'il a à faire. Si seulement je savais, moi, ce que je dois faire.

— Nous faisons ce que nous pouvons.

— Je ne lis pas les livres que j'ai emportés avec moi et je ne résous pas les problèmes de calcul. J'ai à peine tenu mon journal.

— Ne t'inquiète pas, Thomas, à la fin de la guerre, tu rattraperas tout.

— C'est dommage de perdre du temps.

— Mais tu as vu beaucoup de choses. Tu as eu très faim, tu as eu peur et tu as dominé ta peur. Ça aussi c'est de l'apprentissage, non ?

La pluie tombait si dru qu'elle les empêchait de descendre de l'arbre. Ils restaient allongés, tendus. Adam parlait à Miro en lui demandant ce qu'il ressentait. Le chien répondait par de petits jappements et gémissements. Il bondissait parfois hors de l'arbre pour arpenter la forêt.

Miro était un gardien courageux. Il avait un jour attrapé la main d'un voleur et ne l'avait pas lâchée. Le voleur, désespéré, avait appelé au secours. Sans l'intervention du père d'Adam, il serait peut-être mort. «Allez, va-t'en », lui avait-il dit après avoir dégagé sa main des crocs de Miro. Mais le voleur était figé, comme hypnotisé. «Va-t'en », avait encore grondé le père d'Adam, et l'homme avait pris ses jambes à son cou.

Lorsqu'il y eut enfin une accalmie, ils descendirent voir si Mina leur avait laissé quelque chose. À leur grande surprise ils trouvèrent un paquet enveloppé d'une toile huilée, près de l'arbre où ils avaient rencontré le paysan.

Ils grimpèrent à toute vitesse à l'arbre et découvrirent une tourte de maïs, du fromage et des cornichons marinés.

— Est-ce que tout ce qui nous arrive est un hasard ? s'étonna Adam.

— Avons-nous un meilleur mot que celui-ci ?

— Nous rencontrons des gens merveilleux qui nous sauvent. Tout ça par hasard ?

— Pourquoi dire qu'ils nous ont été envoyés ? Pourquoi ne pas dire qu'ils le font volontiers ?

— Je ne sais pas quoi te dire, conclut Adam, à son habitude.

Ils préparèrent leur pique-nique, auquel Miro participa. Tout était délicieux, en particulier le goût des cornichons. La toile huilée n'était pas très grande mais suffisamment pour les envelopper tous deux.

— Ça fait longtemps que nous n'avons pas vu Mina, dit Thomas.

— Les paysans ne sortent pas dans les champs ou dans les prés quand il pleut. Parfois, il me semble qu'on la maltraite. J'espère que je me trompe, murmura Adam.

— D'où te vient ce sentiment ?

— J'ai du mal à l'expliquer, dit Adam.

Ce jour-là, Thomas écrivit dans son journal : *Papa et Maman adorés, Adam et moi continuons à nous cacher dans la forêt. La pluie ne cesse de tomber mais ne vous inquiétez pas. Nous sommes blottis dans notre nid. Nous avons un manteau en peau de mouton, les couvertures que nous avons apportées de la maison et une toile huilée qui nous protègent. Je pense tout le temps à vous, je vous vois dans mes rêves et lorsque je suis éveillé, et j'espère que vous allez bien. J'ai le sentiment que la guerre approche de sa fin et que nous allons bientôt rentrer à la maison. Mon camarade Adam est un ami irréprochable. Nous vivons au jour le jour, chaque fois étonnés par de nouvelles merveilles. Un vieux paysan que nous avons rencontré par hasard nous a laissé une tourte de maïs entière. Adam dit que nous devons dire une bénédiction. Adam est un enfant de la nature et en même temps il a un rapport au merveilleux. J'apprends beaucoup de lui. Je sais maintenant courir en restant courbé et grimper aux arbres. Parfois il me semble que j'ai beaucoup changé extérieurement depuis que nous nous sommes séparés. J'espère que je suis resté le même Thomas que vous avez connu. Vous êtes dans mes pensées chaque jour. J'attends avec impatience le moment où la guerre se terminera et où je descendrai de l'arbre directement vers vous.*

Adam se souvint du pommier et ils coururent vers lui. Certains fruits sur l'arbre avaient rougi, d'autres étaient tombés. Ils firent une cueillette qu'ils déposèrent dans la toile huilée. Miro ne les lâchait pas. De temps à autre il relevait la tête, les narines frémissantes.

Entre deux averses ils descendaient vers l'arbre de Mina. Cette fois ils trouvèrent quelques tranches de pain et un morceau de beurre enveloppés dans un torchon. La dernière fois qu'ils l'avaient vue, sa main droite était entourée d'un foulard. Elle avait trait la vache rapidement, et ils avaient pensé que la blessure n'était pas si grave, mais Adam répétait :

— Non seulement le paysan se fâche contre elle, mais il la bat aussi.

— Comment le sais-tu ?

— À cause de l'expression de ses lèvres. La prochaine fois qu'on la verra, on lui proposera de nous rejoindre.

— Espérons qu'elle n'aura pas peur de s'enfuir.

— Mina est une petite fille courageuse. Regarde ses mains quand elle trait.

Le lendemain, ils la trouvèrent en train de traire la vache. Adam modula sa voix pour l'appeler :

— Si c'est trop dur pour toi et si le paysan t'embête, viens avec nous. Nous avons un nid en haut d'un grand arbre, et s'il le faut nous pourrons nous enfoncer plus encore dans la forêt. Nous n'avons pas beaucoup à manger mais ce que nous trouvons suffit pour vivre. Nous serions très heureux si tu acceptais de nous rejoindre.

Mina l'entendit mais son visage resta immobile.

Quand elle eut fini de traire, elle prit le seau, le tabouret et disparut.

Derrière elle, elle laissait toujours un voile de mystère. Si petite et si frêle. C'était étonnant qu'elle puisse porter un seau de lait si lourd.

— C'est un esprit, ce n'est pas un corps, remarqua Adam.

— Pourquoi dis-tu cela ?

— Le seau fait la moitié de sa taille. Qui le porte, si ce n'est l'esprit qui est en elle ?

— Pendant toutes ces années, en classe, nous n'avons pas vu qu'elle avait une telle force de caractère.

— Les yeux nous trompent, dit Adam, et tous deux éclatèrent de rire.

Chapitre 25

Ensuite vinrent des jours sombres. Le froid régnait dans la forêt, et une pluie mêlée de grêle s'abattait sur la toile violemment.

Chaque fois que le tonnerre et les éclairs explosaient au-dessus de leurs têtes, Miro bondissait, les oreilles dressées.

– La guerre est en train de se terminer ? demandait Adam à Miro, en le contemplant.

Miro n'était pas tranquille. Il sortait la tête régulièrement de la couverture pour émettre de petits aboiements.

Et la neige ne tarda pas à venir. Mêlée à la pluie au début, avant de s'épaissir et de blanchir. Mina continuait à déposer des paquets près de l'arbre. Cette fois, des fruits secs. Le bon paysan leur avait laissé un pot rempli de yaourt.

– Que ferions-nous sans nos anges ? s'écria Adam.

La neige était drue et avec elle arrivèrent les gelées. Adam et Thomas avaient superposé sur eux tous les vêtements en leur possession mais le froid les pénétrait.

Adam continuait de demander à Miro s'il sentait l'Armée rouge approcher. Miro redressait la tête, tendait les oreilles, grognait et aboyait brièvement, mécontent. Il se plaignait de la météo, qui perturbait sa perception.

À présent, leur nouvel ennemi était le vent glacé. Il leur fallut renforcer le nid, ajouter des branches et élever prudemment des cloisons épaisses de branchages.

La veille, ils avaient vu Mina sortir de l'obscurité de la forêt, posant un petit paquet sur la neige avant de disparaître. Ses mouvements étaient légers, aériens, on eût cru qu'elle ne touchait pas le sol.

– Quel courage il faut pour envelopper une tourte et du fromage dans du papier et sortir de la maison en cachette, dit Thomas.

– C'est une petite fille d'un autre monde, dit Adam, effrayé par les paroles qui lui avaient échappé.

Ils descendirent voir ce qu'elle leur avait apporté. Cette fois le paquet contenait une part de gâteau, une tranche de pain et deux morceaux de sucre.

– J'ai l'impression que c'est Mina qui a fait le gâteau.

— Comment le sais-tu ?

— C'est mon cœur qui me le dit.

— Le froid s'intensifie. Si nous allions chez Diana ? proposa Thomas.

Adam le dévisagea.

— Ce n'est pas bien de quitter la forêt en ces temps difficiles. Elle nous a protégés jusque-là, j'ai l'impression que nous pourrons tenir sans Diana.

— Le froid pénètre dans mes doigts et les mord.

— Moi aussi, viens, frottons-les. Nous avons été de longs mois dans la forêt, nous avons dominé la peur et combattu le manque, maintenant nous avons deux anges qui veillent sur nous, et de notre côté, nous allons faire tout notre possible pour surmonter le froid.

— Adam, tu ne cesses de m'étonner.

La neige tombait sans fin. Des flocons épais qui se déversaient du ciel, serrés les uns contre les autres. Parfois, des grondements déchiraient le ciel. Miro restait tendu. Adam le retenait pour qu'il ne saute pas et ne se mette pas en danger. Il lui parlait doucement. « Miro, dehors c'est horriblement dangereux. Il faut rester là-haut, dans le nid, se blottir sous les couvertures. Quand on est ensemble, on garde la chaleur, tu comprends ? »

Thomas écrivit dans son journal : *Papa et Maman adorés, la neige ne cesse de tomber. Elle s'est amassée sur le sol à une hauteur de cinquante centimètres si je ne me trompe pas. Mais ne vous inquiétez pas, nous avons amélioré notre nid et nous portons tous les vêtements que nous avons. Je pense à vous tout le temps, mais comme j'ignore où vous êtes et ce que vous faites, mes pensées errent d'un endroit à l'autre. J'espère cependant qu'elles vous parviennent. Nous avons de la chance que notre amie Mina et le paysan que nous avons rencontré par hasard nous fournissent de la nourriture. Mon ami Adam les appelle « des anges ».*

Nous entendons les grondements clairement. Espérons qu'ils apporteront sur leurs ailes l'Armée rouge. Les conditions sont dures, mais nous n'avons pas perdu espoir. La nuit dernière, j'ai rêvé que vous aviez été libérés et que vous veniez me chercher avec Adam. Vous aviez maigri, mais vos visages exprimaient un certain contentement. J'espère que ce sera ainsi. Ne tardez pas, venez.

Thomas qui vous aime.

Thomas lut la page à Adam, qui l'écouta attentivement.

— Tu as bien décrit notre situation, je ne sais pas écrire comme toi.

— Mais tu connais mieux la nature que moi.

– Parfois, j'ai l'impression que mes parents captent mes pensées.

– Moi aussi, mais je ne suis pas sûr.

– Tu dois te renforcer et être sûr de toi, Thomas. Quand nous nous sommes rencontrés tu ne savais pas grimper à un arbre, tu ne savais pas marcher comme il faut dans la forêt. Maintenant tu es souple et agile comme un écureuil.

– Je ne suis pas encore parvenu à ton niveau.

– Il n'y a pas de raison d'être en compétition. Chacun doit être fidèle à lui-même.

La nuit fut glacée. Thomas demanda soudain à Adam :

– Qu'est-ce que tu voudrais étudier plus tard ?

– J'étudie déjà avec mon père.

– Tu veux être artisan menuisier ?

– Oui. Et toi ? Qu'est-ce que tu veux étudier ?

– Je continuerai au lycée.

– Prions pour que le vent et la neige nous laissent tranquilles et que les parents viennent vite nous chercher.

À ces mots, Thomas éclata en sanglots.

Chapitre 26

Soudain, Miro les effraya en sautant de l'arbre pour s'enfoncer au galop dans la forêt. Ils le suivirent des yeux en restant aux aguets. À intervalles réguliers, Miro redressait la tête, humait l'air puis tendait les oreilles.

— Miro a capté quelque chose, il ne saute pas comme ça pour rien, dit Adam.

Au bout d'un moment de tâtonnement, il revint se poster près de l'arbre. Adam l'aida à monter, frotta ses pattes et le serra contre sa poitrine. Le corps de l'animal se réchauffait peu à peu.

— Qu'est-ce qui s'est passé, Miro ? Le froid dehors est mordant. Ne te mets pas en danger, lui dit Adam. Miro est différent de nous, les sons et les odeurs lui parviennent bien avant nous, continua Adam en s'adressant à Thomas.

— Tu as compris quelque chose de son comporte-ment ces derniers jours ? demanda Thomas.

— Il me semble qu'il est en colère contre lui-même parce qu'il ne réussit pas à capter les signes qui lui parviennent de loin.

— Qu'est-ce qu'on va faire ? demanda Thomas tout bas.

— Si la neige continue de tomber et que le froid empire, nous n'aurons pas le choix, il faudra descen-dre et allumer un feu.

— La fumée ne va pas nous trahir ?

— On fera attention.

Cette nuit-là, Adam entendit la voix tremblante de sa mère s'adresser à lui : « Mon petit Adam, nous sommes arrivés. N'aie pas peur. Tu connais notre forêt et tout ce qu'elle contient. Je vais faire mon possible pour te retrouver ce soir. »

La voix était claire, comme si elle ne s'était pas élevée plusieurs mois auparavant mais tout juste maintenant. Adam émergea de sa torpeur. De gros flocons de neige se déversaient du ciel, enveloppant l'obscurité d'un manteau blanc. Thomas dormait d'un sommeil profond. Adam craignit que le froid ne l'enserre dans ses filets et le secoua pour le réveiller.

— Que se passe-t-il ?

– Rien. Tu n'as pas froid ?

– Non.

– Essaie de bouger tes doigts de pieds.

– J'ai du mal.

– Viens, on va les frotter pour ne pas qu'ils gèlent, parce que, lorsqu'on dort, les doigts sont vite engourdis.

Chapitre 27

Juste avant l'aube, ils virent une petite silhouette enveloppée dans une couverture, avançant en vacillant dans la neige. Elle progressait difficilement et s'arrêtait tous les quelques pas. Elle donnait l'impression d'être sur le point de s'évanouir, ou d'être blessée, luttant contre le vent.

Ils se dépêchèrent de descendre vers elle. Ils avaient reconnu Mina.

Elle avait le visage en sang et respirait difficilement. Adam et Thomas passèrent leurs bras autour d'elle pour la soutenir et la porter jusqu'à l'arbre, délicatement. Ils la montèrent jusqu'au nid et commencèrent à la soigner. Ils rincèrent son visage. Ses bras et ses jambes étaient également meurtris. Ils nettoyèrent le sang avant de la badigeonner de teinture d'iode.

– Que s'est-il passé, Mina ? N'aie pas peur. Nous allons te protéger, Thomas et moi.

À présent qu'ils l'avaient enveloppée dans des vêtements, ils prirent de nouveau conscience de son poids léger. Elle ne pesait presque rien.

Les grondements avaient cessé à l'horizon. La neige s'intensifiait d'heure en heure, et la couche au sol atteignait un mètre de hauteur. Ils se blottirent tous trois. La couverture que Mina avait apportée avec elle ajoutait une épaisseur supplémentaire à leur protection, mais le froid les pénétrait tout de même, mordant et douloureux.

– On n'a pas le choix, il faut descendre allumer un feu, dit Adam.

– Si on attendait un jour de plus ? demanda Thomas.

– On va attendra autant que possible, d'accord.

Pour l'heure, ils frottaient les mains et la plante des pieds de Mina pour l'arracher au froid et à la faiblesse qui l'avaient envahie.

Le paysan ange gardien leur laissa un pot de lait et une demi-miche de pain. Ils donnèrent du lait à Mina en le versant goutte à goutte entre ses lèvres. Elle entrouvrit rapidement les yeux avant de les refermer de nouveau.

Miro n'était pas tranquille. Il était apparemment angoissé d'être enfermé dans un si petit espace que les enfants essayaient de rendre hermétique. À plusieurs reprises il fut sur le point de bondir mais Adam le retint.

Il arriva à se dégager et sauta de l'arbre. Adam voulut courir à sa poursuite, mais il savait qu'il ne pourrait le rattraper. Miro était rapide, il courait comme un furet vers le cœur de la forêt. Ils le suivirent des yeux avec anxiété. L'obscurité qui tombait le déroba à leur vue.

— Mais où va-t-il ainsi ? demanda Thomas, la voix tremblante.

— Miro ne se met jamais à courir pour rien, et ce n'est pas le danger qui l'arrête.

Adam se pencha tout près du visage de Mina pour lui murmurer :

— Encore un petit effort, Mina, nous approchons de la fin de la guerre. Bientôt l'Armée rouge sera là et nous libérera.

Chapitre 28

Mais cette nuit longue et sombre n'avait pas de fin. Le froid s'intensifiait d'heure en heure. La respiration de Mina était saccadée. De temps à autre, elle laissait échapper un gémissement. Sa bouche refusait de s'ouvrir pour boire. Les enfants étaient de plus en plus angoissés à l'idée qu'elle meure.

– Bon, demain matin on descendra allumer un feu, dit Adam.

Thomas était d'accord.

– On ne peut pas rester ici et geler.

Et tandis qu'ils claquaient des dents, ils virent dans la première lueur de l'aube deux personnes marcher au loin dans la neige, précédées par Miro qui courait devant elles.

– Miro ! appela Adam de toutes ses forces.

Le chien perçut sa voix et se dressa sur ses deux pattes arrière. Il agissait toujours ainsi quand il voulait annoncer quelque chose.

– Miro ! cria encore Adam d'une voix qui fit trembler le nid.

Ils étaient partagés entre l'envie de descendre et celle de ne pas laisser Mina toute seule. Ils suivaient d'en haut le mouvement des deux silhouettes qui se rapprochaient.

Par chance, la neige avait cessé de tomber et leur vision s'éclaircit. Adam cria « Maman ! » en ébranlant encore le nid.

– Tu es sûr ?

– Je la vois !

Ils enveloppèrent Mina dans les couvertures et la toile huilée et doucement, branche après branche, ils la descendirent. Ils se retinrent de la laisser pour courir vers leurs mères.

Mais lorsqu'elles se rapprochèrent, Thomas se mit à courir dans leur direction sans aller bien loin, bloqué par l'épaisse couche de neige. Les mères aussi luttaient pour avancer. La distance entre eux rétrécissait, mais pas encore complètement.

– Maman, courage, il vous reste juste un bout de chemin, cria Adam.

Elles arrivèrent enfin, essoufflées, et se laissèrent tomber sur la neige. La mère d'Adam poussa un soupir comme elle n'en avait jamais poussé. Il la serra contre lui.

– Maman, c'est fini.

– Mon héros, eut-elle le temps de dire, avant de s'évanouir.

Adam porta quelques gouttes de lait à sa bouche. Sa mère ouvrit les yeux et demanda :

– Qui dois-je remercier ?

La mère de Thomas n'avait pas dit un mot. Thomas la serrait de toutes ses forces et finalement il la secoua en s'écriant :

– Maman, pourquoi tu ne parles pas ?

La mère d'Adam demanda :

– Qui est la petite fille sur les branchages ?

– C'est Mina, une fille d'un autre monde. Pendant tout le temps où on n'avait rien à manger, elle nous apportait du pain et des tourtes de maïs. Elle est malade, très malade. Le paysan qui la cachait l'a battue avant de la chasser.

– Mon Dieu ! s'exclama sa mère. Il faut l'emmener à l'infirmerie de l'Armée rouge. D'où vient-elle ?

– Elle était dans notre classe. Il faut la sauver.

Adam ajouta :

– Elle a notre âge, mais elle a toujours été très petite de taille. Le paysan qui la cachait l'a maltraitée, mais elle a pris des risques pour nous apporter du pain, des tourtes, et c'est grâce à elle, Maman, que nous sommes vivants.

– C'est un ange gardien, j'en suis sûre, dit la mère avant que sa tête retombe.

Chapitre 29

Ils décidèrent de ne pas s'attarder, enveloppèrent Mina dans les couvertures, la posèrent sur la toile huilée pour la porter comme sur un brancard. Ils avaient du mal à avancer et s'arrêtaient à intervalles réguliers.

— Thomas, pardon de ne pas être venue te chercher plus tôt. Je ne pouvais pas laisser les grands-parents livrés à eux-mêmes. Il y a eu un grand mouvement de panique à la gare, les grands-parents tenaient à peine sur leurs jambes.

— Maman, je te pardonne de toute mon âme.

— Je t'ai laissé seul.

Et sa voix tremblait.

— Le destin a placé Adam sur mon chemin. C'est un bon ami, très dévoué, et ces derniers mois Mina nous apportait de quoi nous nourrir.

Thomas avait envie de prendre des nouvelles de son père et de ses grands-parents, mais il se retint.

Tout comme Adam, il sentait qu'il devait commencer par sauver Mina.

Ils atteignirent l'infirmerie de l'Armée rouge au bout de deux heures de marche, alors qu'ils tentaient une ultime fois d'introduire quelques gouttes de lait dans la bouche de Mina.

– Qui êtes-vous ? demanda le médecin, un homme à lunettes, long et maigre, qui ressemblait au prêtre de l'école.

La mère de Thomas répondit :

– Nous sommes juifs, et nous sommes des mères. Pendant que nous étions dans les camps, nos enfants se sont cachés dans la forêt. Notre fille est malade et blessée. Le paysan chez qui elle était cachée l'a maltraitée, il l'a rouée de coups avant de la chasser dans le froid.

– Nous allons l'examiner tout de suite, dit le médecin.

Et ils virent les hématomes bleutés et rouges qui couvraient son petit corps.

Le médecin était abasourdi par la violence manifeste des coups.

– Mon Dieu, il n'y a donc pas de limites à la cruauté ! s'écria-t-il, avant de demander à une infirmière de laver Mina.

– Asseyez-vous, nous allons faire tout ce qui est en notre pouvoir pour sauver cette chère enfant.

Et il demanda à un aide-soignant de leur apporter de la soupe et du pain.

Pendant un long moment, l'infirmerie resta plongée dans le silence. Les mères brûlaient d'envie de demander aux enfants comment s'étaient déroulés les longs mois dans la forêt, mais la fatigue avait submergé Adam et Thomas, qui s'étaient endormis.

Dans l'après-midi, le médecin sortit de l'infirmerie pour leur dire :

— La petite a ouvert les yeux, c'est bon signe. Nous allons la garder pour l'instant. Quel âge a-t-elle ?

— Neuf ans, dit la mère de Thomas.

— Mon Dieu, seul un homme au cœur vide peut se comporter avec une telle cruauté.

— Mina va guérir ? demanda la mère de Thomas, la voix tremblante.

— Avec l'aide de Dieu, répondit le médecin, qui ressemblait de plus en plus au prêtre de l'école.

Le froid dehors était vif, mais ils avaient chaud sous la tente. Le médecin les regardait, songeur. Adam voulut dire qu'ils avaient rencontré de nouveau un ange, mais il se tut.

Le lendemain, le médecin ne leur cacha pas qu'ils avaient traversé des heures difficiles pour ramener Mina à la vie. Finalement, les bons anges l'avaient emporté et Mina était hors de danger. Thomas le remercia.

— C'est grâce à toute l'équipe.

La mère d'Adam demanda pardon, comme effrayée par la remarque.

Le soir, le médecin leur annonça :

— La petite, grâce à Dieu, montre des signes de rétablissement.

— Elle parle ? demanda Adam.

— Doucement.

— On comprend ce qu'elle dit ?

— Tout à fait.

— Grâce à Dieu, dit la mère d'Adam, sur le même ton que le médecin.

Durant toute cette journée, Adam et Thomas racontèrent leur séjour dans la forêt, les fraises et les mûres, le ruisseau, le nid qui les protégeait jour et nuit, Mina qui les avaient sauvés de la famine, et le vieux paysan qui, sur la fin, leur apportait du pain et du lait.

— Je n'ai rien lu et n'ai pas fait un exercice de calcul, mais j'ai tenu mon journal, confia Thomas à sa mère. Mais il y a beaucoup d'interruptions. On ne pourra parler de ce que nous avons vécu dans la forêt que plus tard.

Sa mère écarquilla les yeux. Les paroles de Thomas l'avaient affolée et elle demanda :

– Que veux-tu dire par là?

– Il est dur de parler de la peur et de la faim. Ce sont des choses que l'on ressent très fort, mais que l'on ne peut pas décrire.

À ces mots, les yeux de sa mère se remplirent de larmes.

Le médecin revint vers eux.

– Entrez, venez voir notre belle petite fille. Elle n'est pas seulement belle, c'est aussi une héroïne.

Mina était allongée dans un lit, la tête soutenue par deux oreillers, les yeux grands ouverts. Sa beauté émanait de son visage.

– Comment vas-tu, Mina? demanda la mère d'Adam en tremblant de la tête aux pieds.

Après un court silence, elle répondit:

– Bien.

La mère ne posa plus aucune question.

– Toute l'équipe médicale est tombée amoureuse de Mina, dit le médecin, le visage lumineux.

Chapitre 30

Ils restèrent cinq jours dans la tente de l'infirmerie, guettant avec appréhension les comptes rendus du médecin. L'aide-soignant était aux petits soins avec eux. Il leur apportait de la soupe, du pain et des œufs durs. Au cinquième jour, le médecin leur annonça :

– La petite parle, pose des questions et répond. C'est une enfant exceptionnelle. Il faut continuer à panser ses blessures. Je vais vous donner de quoi les désinfecter, et une crème. Les blessures guérissent mais il ne faut pas abandonner le traitement. L'équipe médicale s'émerveille sur elle et lui souhaite une guérison complète. Vous devez savoir qu'elle est un vrai miracle, à tous les niveaux. Et vous, où allez-vous, maintenant ?

– Nous l'ignorons encore, dit une des mères.

– Nous allons vous donner à manger pour quelques jours.

— Merci, docteur. Nous n'avons pas assez de mots pour vous remercier.

— Nous remplissons nos devoirs d'êtres humains. Demain nous partons, nous avons percé tous les fronts, l'armée allemande est en déroute, mais le chemin vers la victoire est encore long. Je vais vous donner un brancard pour porter Mina. Elle nous a tous conquis.

— Comment vous remercier, monsieur le médecin ? demanda la mère d'Adam en essayant d'étouffer ses sanglots.

— Il n'y a pas besoin de remercier. Nous sommes là pour accomplir notre devoir.

— Vous avez été pour nous une providence. Ça faisait longtemps que nous n'avions pas vu cela.

— Je ne suis qu'un médecin. Il ne faut pas attribuer aux êtres humains des qualités que nous attribuons à Dieu.

— Pardon si je vous ai heurté. Je n'en avais pas l'intention, dit-elle en couvrant son visage de ses mains.

Et ainsi ils se séparèrent du médecin sauveur.

Le soleil perçant entre les nuages faisait scintiller la neige de mille feux.

Un orchestre militaire jouait des marches au milieu de la forêt enneigée. La mère de Thomas éclata en sanglots, et la mère d'Adam la serra contre elle en disant :

— Ma chérie, Dieu merci, nous avons retrouvé les enfants. Maintenant il faut s'occuper de Mina. Elle a besoin de beaucoup d'attention.

— Pardon, murmura la mère de Thomas en s'essuyant le visage.

L'orchestre militaire continuait de diffuser de la joie.

La mère d'Adam demanda :

— Qui a protégé nos enfants durant cet hiver si rude ?

— Nos enfants sont intelligents, ils ont pris soin d'eux-mêmes, répondit la mère de Thomas.

Adam voulait demander des nouvelles de son père et des grands-parents, mais il retint les mots dans sa bouche. Au fond de lui, il savait que ce n'était pas le moment de poser la question. Sa mère devina les sentiments qui l'agitaient et dit :

— Nous allons prier pour que Papa et les grands-parents reviennent vers nous.

Mina s'endormit sur le brancard.

Les mères bordèrent sa couverture.